Arbeitstexte für den Unterricht

Herrschaft durch Sprache

Politische Reden

Für die Sekundarstufe
herausgegeben von
Walter Schafarschik

Philipp Reclam jun. Stuttgart

Bibliographisch ergänzte Ausgabe 1987

Universal-Bibliothek Nr. 9501

Gesamtherstellung: Reclam, Ditzingen. Printed in Germany 1993

ISBN 3-15-009501-8

Inhalt

I. Vorwort

Der vorliegende Band bringt fast ausschließlich Reden, die von Herrschenden an Beherrschte gehalten wurden. Für eine solche Auswahl sprechen zwei Beobachtungen: Die Reden der Herrschenden zeigen am deutlichsten die für die politische Rede typischen Techniken der Darstellung von politischer Meinung und der Überredung zu dieser Meinung.
Weiterhin bieten diese Reden interessante Vergleichsmöglichkeiten zwischen verschiedenen Herrschaftssystemen in verschiedenen historischen Epochen. Es läßt sich an ihnen zeigen – und hier wird die erste Beobachtung ergänzt –, daß bestimmte Elemente in den Reden der Herrschenden über Jahrhunderte erhalten bleiben. Das ist nicht nur mit der Tradierung bestimmter rhetorischer Muster zu erklären, sondern mit der offensichtlich systemunabhängigen Wirkung dieser Muster auf ›Mitbürger‹, ›Brüder im Herrn‹, ›Untertanen‹, ›Volksgenossen‹ und ›mündige Staatsbürger‹.
Die Herrschenden gebrauchten und gebrauchen die Rede gegenüber den Beherrschten, um Steuerungsvorgänge verschiedenster Art in Gang zu setzen: um mit Programmen nach erlangter Herrschaft die positiven Züge des neuen Herrschaftsstils gehörig herauszustellen und im Bewußtsein der Beherrschten zu verankern, um das herrschaftsstabilisierende Verhalten der Beherrschten im Hinblick auf die Behauptung des eigenen Herrschaftsbereichs zu steuern (Kriegsaufruf), um gravierende Entscheidungen, die oftmals eindeutige Herrschaftsversagen sind, zu rechtfertigen, d. h. zu beschönigen, um unbequeme Mitherrschende bloßzustellen und auszuschalten, um die Kontinuität des eigenen Herrschaftsanspruchs zu sichern (Wahlrede) oder um die Fiktion von offenliegenden, aus gemeinsamer Beratung hervorgehenden demokratischen Entscheidungsprozessen aufzubauen (Parlamentsrede).

Ein Typ ist in dieser Auswahl besonders berücksichtigt worden: der Appell an die Beherrschten, durch ›heldenhaften‹ Einsatz ihres Lebens den Herrschaftsbereich des eigenen Systems zu erweitern oder zu behaupten. Gerade dieser Typ gestattet den schon genannten Vergleich zwischen verschiedenen historischen Epochen und Herrschaftssystemen, er rechtfertigt auch die historische Anlage dieses Bandes.

Eines sei bei der Lektüre dieser Texte im Sinne des Brechtschen Gedichts *Fragen eines lesenden Arbeiters* mitbedacht: Die Beherrschten, die Unterdrückten, haben bisweilen zu ihresgleichen Reden gehalten, ›Widerreden‹ zu denen der Herrschenden. Das wird oft vergessen oder als unbedeutend abgetan, was freilich seine Gründe hat. Von ihren Reden ist so gut wie nichts oder doch sehr viel weniger, als von denen der Herrschenden überliefert. Die gesellschaftlichen Zustände waren meist so beschaffen, daß eine Überlieferung entweder absichtlich von den Herrschenden unterdrückt wurde oder aber daß die soziale Stellung des betreffenden Redners wie auch die Redesituation – oftmals waren es revolutionäre Situationen – keinerlei Aufzeichnung gestatteten. Die Tatsache, daß auch von vielen Herrschenden nicht immer Reden überliefert sind, spricht nicht dagegen: immerhin sind die Geschichtsbücher voll von ihren Taten.

Die in den vorliegenden Band aufgenommenen ›älteren‹ Reden haben einen großen Nachteil: Es liegen meist nur Nachschriften vom Verfasser oder von Freunden und Bewunderern vor. Wohl wird dadurch der Umriß des Gesprochenen wiedergegeben, doch nicht die Rede, wie sie gehalten wurde. Hinzu kommt, daß es sich häufig um Übersetzungen handelt, was den Untersuchungsansatz ebenfalls beeinflußt. Trotzdem ist es möglich, in diesen Reden die Redetechniken der Herrschenden hinreichend zu erkennen. Wieviel günstiger die Situation für Redetexte aus der Zeitgeschichte ist, zeigt die Tatsache, daß viele Reden auf Bild- und Tonträgern festgehalten sind, wenn bei fremdsprachigen Texten die erwähnte Übersetzungsproblematik natürlich auch hier bestehen bleibt.

Wo bei den ausgewählten Texten Tondokumente vorhanden sind, wurde es vermerkt. Den Texten selbst ist jeweils eine Einleitung beigegeben, die die notwendigsten Fakten zum Verständnis der Redesituation bringt, bei älteren Reden die Textüberlieferung umreißt sowie ganz knappe Literaturhinweise gibt (meist erreichbare Taschenbuchausgaben). Was den Umfang der einzelnen Texte anbetrifft, so wurde versucht, möglichst ungekürzte Texte abzudrucken, da eine Sammlung von ›Ausschnitten‹ wegen des fehlenden Kontexts nicht selten verzerrende Akzente setzt.

II. Texte

1. Perikles vor den Athenern bei Ausbruch des Peloponnesischen Krieges

Athen war nach den Perserkriegen zur bedeutendsten See- und Handelsmacht in Griechenland geworden und versuchte unter Perikles diese Position weiter auszubauen. Das brachte Schwierigkeiten im Zusammenleben mit den anderen griechischen Stadtstaaten mit sich, vor allem dadurch, daß die Athener den ursprünglich als Verteidigungsbund gegen die Perser gegründeten Attischen Seebund als Instrument ihres Hegemoniestrebens benutzten und seine Mitglieder in ihre Abhängigkeit zu bringen trachteten.

Als nun zwischen Athen und Korinth, das zu dem unter der Führung Spartas stehenden Peloponnesischen Bund gehörte, im Zusammenhang mit Athens Ausdehnung nach Westen (Sizilien) im Jahre 432 ein Konflikt ausbrach, wurde das zunächst zögernde Sparta von Korinth und anderen von Athen besonders bedrängten Städten (Megara, Aigina, Poteidaia) zum Krieg gegen Athen gezwungen. Die Spartaner sandten daraufhin ultimative Forderungen an Athen; trotz dieser Forderungen wäre Sparta immer noch zum Einlenken bereit gewesen. Thukydides berichtet darüber: »Als schließlich die letzten Gesandten aus Sparta kamen [...] und nicht mehr die früher üblichen Beschwerden[1] vorbrachten, sondern nur sagten: die Spartaner wünschen den Frieden, er könnte andauern, wenn ihr den Hellenen die Selbständigkeit gewährt, da beriefen die Athener eine Volksversammlung und eröffneten die Beratung« (Der Peloponnesische Krieg I, 139, 3).

Die Rede, die Perikles (er hatte diese Krise höchstwahrscheinlich bewußt herbeigeführt) darauf hielt, ist nur in

1. Gemeint sind die spartanischen Forderungen: Abzug des Heeres von Poteidaia, Unabhängigkeit Aiginas, Aufhebung des Megarer-Beschlusses; vgl. dazu auch Anm. 3 bis 5.

Thukydides' *Geschichte des Peloponnesischen Krieges* überliefert. Über die von ihm überlieferten Reden schreibt Thukydides: »Was nun in Reden beide Gegner vorgebracht haben, teils während der Vorbereitungen zum Krieg, teils im Krieg selber, davon den genauen Wortlaut im Gedächtnis zu behalten war schwierig, sowohl für mich, was ich selber anhörte, als auch für meine Zeugen, die mir von anderswo solche berichteten. Wie aber meiner Meinung nach jeder einzelne über den jeweils vorliegenden Fall am ehesten sprechen mußte, so sind die Reden wiedergegeben unter möglichst engem Anschluß an den Gesamtsinn des wirklich Gesagten« (I, 22).

Doch auch bei dieser unsicheren Quellenlage und unter der Voraussetzung, daß Thukydides ein Bewunderer des Perikles war und den Text bewußt gefärbt haben könnte, gibt die Rede hinreichend Einblick in die durch eine bestimmte Situation ausgelöste Argumentationsweise vor einer griechischen Volksversammlung. Der Personalstil ist in diesem Falle sekundär.

Literaturhinweise: Neben Thukydides Berve, Helmut: Blütezeit des Griechentums. Griechische Geschichte II. Freiburg i. Br. 1963. (Herder-Bücherei 56.) – Braunert, Horst: Der Ausbruch des Kampfes zwischen Athen und Sparta. In: Geschichte in Wissenschaft und Unterricht 20 (1969) H. 1, S. 38–52.

Thukydides leitet die Rede des Perikles ein: »Dann erhob sich Perikles, der Sohn des Xanthippos, der erste Mann in Athen zur damaligen Zeit, gleich mächtig in Wort und Tat, und redete ihnen so zu:

140. An meiner Überzeugung, ihr Athener, halte ich noch immer unverändert fest: nicht nachzugeben den Peloponnesiern, obwohl ich weiß, daß die Menschen nicht mit dem gleichen Eifer, mit dem sie sich zum Krieg bestimmen lassen, auch in Wirklichkeit handeln, sondern nach den Wechselfällen auch ihre Meinungen ändern. Ich sehe also, ich muß auch jetzt Gleiches oder Ähnliches (wie früher) raten, und wer

von euch mir zustimmt, von dem erwarte ich, daß er zu den gemeinsamen Beschlüssen steht, wenn uns auch irgendein Mißgeschick widerfährt, andernfalls aber soll er, wenn wir Erfolg haben, sich auch keinen Anteil an unserer richtigen Erkenntnis beimessen. Denn es ist möglich, daß die Wechselfälle der Ereignisse sich nicht weniger unberechenbar entwickeln als die Pläne der Menschen; deshalb pflegen wir auch bei allem, was wider unsere Berechnung ausgeht, dem Zufall die Schuld zu geben.

(2) Die Spartaner waren uns schon früher ganz offensichtlich feindlich gesinnt, und jetzt sind sie es erst recht. Denn obwohl vereinbart war, ein Schiedsverfahren über die zwischen uns bestehenden Streitigkeiten zu gewähren und anzuerkennen, behalten aber sollte jeder seinen Besitz[2], forderten sie selbst nie ein Schiedsverfahren, noch erkannten sie es an, wenn wir eines anboten; sie wollen eher durch Krieg als durch Verhandlungen die Streitpunkte erledigen, und bereits mit Befehlen, nicht mehr mit Beschwerden sind sie jetzt hier. (3) Denn von Poteidaia abzulassen[3], befehlen sie uns, und Aigina die Selbständigkeit zu gewähren[4] und den Beschluß betreffend die Megarer aufzuheben[5]. Die letzten Gesandten da aber kommen und tragen uns in aller Öffentlichkeit auf, auch den Hellenen die Selbständigkeit zu gewähren. (4) Niemand von euch möge glauben, es komme wegen einer Kleinigkeit zum Krieg, wenn wir den Beschluß betreffend die Megarer nicht aufheben – das vor allem nehmen sie zum Vorwand –, wenn er aufgehoben würde, käme es nicht zum

2. Im Friedensvertrag zwischen Sparta und Athen 446/445 war diese Regelung festgelegt worden.

3. 432 war Poteidaia besetzt worden, weil es sich, obgleich Mitglied des Attischen Bundes, mit Korinth dem Makedonenkönig Perdikkas (gegen Athen) angeschlossen hatte und aus dem Seebund ausgetreten war.

4. Aigina war 456 gegen seinen Willen zum Eintritt in den Attischen Bund gezwungen worden.

5. Megara war 448 vom Attischen Bund abgefallen. Im Sommer beschloß Athen auf Betreiben Perikles', die Megarer nicht mehr in die Häfen des Bundes zu lassen. Dieser Beschluß, der für Megara den wirtschaftlichen Ruin bedeutete, war als Provokation gegen Korinth und Sparta gedacht.

Krieg; laßt ja nicht in euren Gedanken den Vorwurf haften, daß ihr für eine Kleinigkeit den Krieg begonnen habt. (5) Denn gerade diese Kleinigkeit hat die ganze Bestätigung und Bewährung eures Entschlusses in sich. Gebt ihr ihnen hier nach, so wird man euch sofort etwas Schwereres auferlegen, in der Meinung, ihr habt auch hier aus Furcht gehorcht; lehnt ihr aber entschieden ab, so werdet ihr ihnen deutlich zu verstehen geben, daß sie mit euch eher von gleich zu gleich zu verkehren haben.

141. Auf der Stelle also entscheidet euch, entweder zu gehorchen, bevor ihr Schaden erleidet, oder ob wir Krieg führen sollen – wie es mir richtiger erscheint –, um künftig bei einem großen ebenso wie bei einem kleinen Anlaß unnachgiebig zu sein und um ohne Furcht zu besitzen, was wir erworben haben. Denn die gleiche Unterjochung bedeutet jeder Anspruch, der größte und der kleinste, wenn er von Gleichgestellten statt eines Schiedsspruches gegen Nachbarn erhoben wird. (2) Was nun den Krieg und die beiden Mächten zur Verfügung stehenden Mittel betrifft: daß wir hierin nicht schwächer sein werden, das sollt ihr erkennen, wenn ihr Punkt für Punkt meiner Rede folgt. (3) Von ihrer eigenen Hände Arbeit leben die Peloponnesier, weder persönlich noch im Staat verfügen sie über Geldmittel, sodann sind sie in länger andauernden und überseeischen Kriegen unerfahren, weil sie wegen ihrer Armut nur kurze Zeit gegeneinander Krieg führen können. (4) Solche Leute können weder Schiffe bemannen noch Landheere häufig aussenden, da sie von ihren Gütern dann entfernt sind und sich doch gleichzeitig aus dem eigenen Besitz verpflegen müssen, wobei sie noch dazu vom Meer abgesperrt sind. (5) Vorhandene Überschüsse lassen Kriege eher ertragen als erzwungene Beiträge. Mit ihren Leibern kämpfen Leute, die von ihrer eigenen Hände Arbeit leben, bereitwilliger als mit Geld, denn bei jenen sind sie zuversichtlich, sie aus den Gefahren retten zu können, bei diesem sind sie nicht sicher, ob sie es nicht vorher aufbrauchen, zumal wenn wider Erwarten, was doch wahrscheinlich ist, sich ihnen der Krieg in die Länge zieht.

(6) Denn in einer einzigen Schlacht allen Griechen die Stirn zu bieten, dazu sind die Peloponnesier und ihre Bundesgenossen imstande, zu kämpfen aber gegen eine Macht von ganz anderer Art, sind sie außerstande, solange sie nicht auf Befehl einer einzigen Macht augenblicklich etwas entschlossen unternehmen und jeder einzelne, da sie zwar gleiches Stimmrecht haben, aber nicht gleichen Stammes sind, seine eigenen Ziele verfolgt; dabei aber pflegt nichts Rechtes herauszukommen. (7) Denn die einen wollen um alles in der Welt sich an einem Gegner rächen, die anderen um nichts in der Welt ihr Eigentum zugrunde richten. Spät kommen sie zusammen, nur kurze Zeit erwägen sie etwas von den gemeinsamen Angelegenheiten, hauptsächlich aber beschäftigen sie sich mit ihren persönlichen Dingen, und jeder glaubt, nicht gerade durch seine Sorglosigkeit werde er Schaden anrichten, es werde schon jemand anderer sich angelegen sein lassen, für ihn vorzusorgen; so daß durch diese Wahnvorstellung, von der sie alle, jeder für sich, befallen sind, unvermerkt die gemeinsame Sache aller Schaden nimmt.

142. Was aber das wichtigste ist: durch den Mangel an Geld werden sie behindert sein, solange sie Zeit verschwenden, es zu beschaffen; aber die entscheidenden Augenblicke im Krieg lassen nicht warten. (2) Auch der Bau von Befestigungsanlagen und ihre Flotte sind nicht wert, gefürchtet zu werden. (3) Was das erste betrifft, so ist es auch im Frieden schwierig, eine uns ebenbürtige Stadt anzulegen, geschweige denn im Feindesland und noch dazu, wo wir (in Athen) eine Gegenbefestigung gegen sie haben. (4) Errichten sie aber ein Kastell, so können sie wohl einem Teil des Landes Schaden zufügen durch Streifzüge und Überlaufen (von Sklaven); das wird aber nicht genügen, uns zu hindern, gegen ihr Land zu segeln und Gegenbefestigungen zu errichten und uns, worin ja unsere Stärke liegt, mit unseren Schiffen zu verteidigen. (5) Denn wir haben im Landkrieg dank unserer Seetüchtigkeit mehr Erfahrung als jene infolge ihrer Beschränkung auf das Binnenland im Seekrieg. (6) Erfahrung im Seewesen aber zu erlangen wird ihnen nicht leicht gelin-

gen. (7) Sogar ihr, die ihr euch darin übt seit der Zeit unmittelbar nach den Perserkriegen, seid noch nicht am Ziel. Wie sollen denn da Bauern – keine Seeleute! –, die überdies nicht Gelegenheit haben werden, sich zu üben, weil sie von uns durch viele Schiffe bedrängt werden, etwas Rechtes zustande bringen? (8) Sollten sie aber mit wenigen unserer Sperrschiffe den Kampf wagen, wenn sie im Vertrauen auf ihre Überzahl die Unerfahrenheit zur Tollkühnheit steigern: von vielen Schiffen eingeschlossen, werden sie sich gleich ruhig verhalten; und durch den Mangel an Übung werden sie ungeschickter sein und ebendeswegen auch zaghafter. (9) Seefahrt aber ist eine Kunst wie nur etwas, und es ist nicht möglich, sie, wenn es sich gerade trifft, als Nebensache zu betreiben, sondern vielmehr darf nichts anderes, nicht einmal eine Nebensache, neben ihr Platz haben.

143. Sollten sie sich aber an den Tempelschätzen von Olympia und Delphi vergreifen und versuchen, durch höhere Bezahlung uns die Söldner unter den Seeleuten abzuwerben, so wäre das gefährlich, wenn wir selbst und unsere Beiwohner als unsere eigene Schiffsbesatzung ihnen nicht gewachsen wären. Nun ist dies aber der Fall, und das Wichtigste, als Steuermänner haben wir eigene Bürger und für die übrige Besatzung mehr und bessere Leute als das ganze übrige Griechenland. (2) Außerdem wird angesichts der Gefahr keiner der Söldner sich entscheiden, sein Vaterland als Verbannter zu verlassen und, zugleich mit weniger Hoffnung auf Erfolg, für das wenige Tage währende Geschenk eines höheren Soldes auf der Seite der Feinde mitzukämpfen. (3) Die Lage der Peloponnesier scheint mir so oder so ähnlich zu sein, die unsere aber von jenen Nachteilen, die ich an jenen auszusetzen hatte, frei zu sein, aber andere, unvergleichlich große Vorteile zu bieten. (4) Wenn sie mit einem Fußheer gegen unser Land rücken, so werden wir gegen das ihre segeln, und es wird dann nicht mehr gleichbedeutend sein, ob ein Teil des Peloponnes verwüstet wird oder ganz Attika; denn sie werden sich kein anderes Land als Ersatz nehmen können ohne Kampf, wir besitzen aber viel Land, auf den Inseln

und auf dem Festland. Es ist etwas Großes um die Beherrschung des Meeres; bedenkt denn: (5) Wären wir Inselbewohner, wer wäre wohl unangreifbarer? Und nun müßt ihr euch so entschließen, daß es dem möglichst nahekommt: das offene Land und die Häuser (darauf) preisgeben, das Meer aber und die Stadt bewachen und mit den Peloponnesiern aus Zorn über eure Verluste ja nicht eine Feldschlacht schlagen – denn siegen wir, werden wir wiederum mit nicht viel weniger Feinden kämpfen müssen, unterliegen wir, so geht die Herrschaft über die Bundesgenossen, woraus unsere Macht erwächst, obendrein noch verloren; denn sie werden sich nicht ruhig verhalten, wenn wir nicht imstande sind, gegen sie vorzugehen. Klage erheben dürft ihr nicht um eure Häuser und das Land, sondern um die Gefallenen. Denn diese Dinge erwerben nicht die Menschen, sondern die Menschen diese Dinge. Und wenn ich der Meinung wäre, euch überzeugen zu können, würde ich euch befehlen, aus eigenem Antrieb euren Besitz zu verlassen und zu verbrennen und so den Peloponnesiern zu zeigen, daß ihr euch nicht deswegen ihnen unterwerfen werdet.

144. Noch viele andere Gründe bestärken mich in der Hoffnung, daß wir siegen werden, wenn ihr nur entschlossen seid, eure Herrschaft während des Krieges nicht auszubreiten und keine selbstgewählten Gefahren auf euch zu nehmen. Denn ich bin mehr in Furcht vor unseren eigenen Fehlern als vor den Anschlägen unserer Feinde. (2) Aber jene Gründe sollen in einer anderen Rede dargestellt werden im Zusammenhang mit dem Kriegsgeschehen. Nun aber wollen wir diese (Gesandten) mit folgender Antwort entlassen: Wir werden die Megarer zu unserem Markt und unseren Häfen zulassen, wenn auch die Spartaner keine Fremdenaustreibungen[6] mehr durchführen, weder von unseren Leuten noch von unseren Bundesgenossen – denn im Vertrag wird weder das eine verwehrt noch das andere –, den Städten werden wir die Selbständigkeit zurückgeben, wenn wir sie schon als

6. Die Spartaner pflegten alle Fremden, die sich im Lande niedergelassen hatten, von Zeit zu Zeit wieder auszuweisen.

selbständig übernommen haben zur Zeit des Vertragsabschlusses und sobald auch jene ihren Städten gewähren, sich nicht nach Gutdünken der Spartaner selbständig zu verwalten, sondern jede nach eigenem Willen. Ein Schiedsverfahren wollen wir gemäß den Verträgen gewähren, mit dem Krieg werden wir nicht beginnen, gegen die Kriegserklärer uns aber zur Wehr setzen. Diese Antwort ist gerecht und zugleich dieser Stadt geziemend. (3) Indessen müßt ihr wissen, daß der Krieg notwendig ist; wenn wir ihn aber bereitwilliger auf uns nehmen, so werden uns die Feinde weniger heftig bedrängen. Bedenkt auch: aus den größten Gefahren erwachsen der Stadt und dem einzelnen die größten Ehren. (4) Unsere Väter jedenfalls, die den Persern Widerstand leisteten und sich nicht auf solche Machtmittel stützen konnten (wie wir), sondern auch noch ihre Habe im Stich ließen, haben mit mehr tatentschlossener Einsicht als Glück und mit größerer Kühnheit als Macht den Barbaren zurückgeschlagen und ihre Macht zu solcher Größe gesteigert. Hinter ihnen dürfen wir nicht zurückbleiben, sondern müssen die Feinde auf jede Weise abwehren und versuchen, den Nachkommen die Macht ungeschmälert zu übergeben.«

2. Martin von Pairis ruft im Auftrag Papst Innozenz' III. in Basel zum 4. Kreuzzug auf

Als Papst Innozenz III. nach der Übernahme des Pontifikats am 15. August 1198 den ersten Aufruf zum 4. Kreuzzug erließ, befanden sich die Christen in Palästina nach den anfänglichen Erfolgen ihrer ›Befreiungskämpfe‹ auf dem Rückzug. Das von den Kreuzrittern unter Gottfried von Bouillon 1099 gegründete Königreich Jerusalem, dessen Herrscher seit der Eroberung der heiligen Stadt durch Sultan Saladin (1187) in Akkon residierte, konnte nur mit Mühe einen schmalen Küstenstreifen behaupten.
Trotzdem dauerten die Vorbereitungen für den Kreuzzug

noch vier Jahre. Johannes Haller schreibt über die sehr realen Nebenabsichten in dem ›Heiligen Krieg‹: »Neben der finanziellen beschäftigte den Papst die politische Vorbereitung. Die Lage schien ihm günstig genug, um die Mitwirkung des griechischen Kaisers, vielleicht sogar die Unterwerfung der griechischen Kirche unter Rom zu erzwingen« (J. Haller: Das Papsttum. Bd. III. Reinbek 1965. rde 225/226. S. 272).
Im Rahmen dieser Vorbereitungen, die durch einen weiteren Aufruf des Papstes am 31. Dezember 1199 mehr Unterstützung fanden, als nach den vorangegangenen Kreuzzügen zu erwarten war, hielt Martin von Pairis, Abt des Zisterzienserklosters Pairis in den Vogesen, als Propagandist des Papstes und entschlossener Teilnehmer des Krieges (wahrscheinlich) im Sommer 1201 in Basel »eine Predigt vor Klerus und Volk [...], und zwar in der vielbesuchten Kirche der heiligen Jungfrau Maria, wo eine große Menge beiderlei Standes auf die neuen Gerüchte hin zusammengekommen war. Denn sie hatten schon lange gehört, daß die anderen Lande ringsum in vielbesuchten Predigten zu diesem Kriegsdienst für Christus aufgerufen wurden; in jener Gegend aber hatte bisher niemand ein Wort darüber verloren. Deshalb warteten auch sehr viele von ihnen in der inneren Bereitschaft, sich in Christi Heerlager zu begeben, voller Verlangen auf eine derartige Aufforderung. So standen sie denn alle mit offenen Ohren, den Blick fest auf ihn gerichtet, und harrten in Spannung darauf, was für Befehle und Ermahnungen er hierzu zu geben habe und was er dem Willfährigen von Gottes Güte versprechen werde« (Die Eroberung von Konstantinopel, S. 53).
Diese Schilderung und die folgende Predigt sind überliefert in der Schrift *Die Geschichte der Eroberung von Konstantinopel*, die der Mönch Gunther (von Pairis) nach der Rückkehr seines Abtes Martin vom mißglückten Kreuzzug nach dessen Bericht verfaßt hat. Es liegt also nur eine viel später – offensichtlich aus der Erinnerung – angefertigte Nachschrift vor. Doch auch hier gibt wie bei Perikles die so über-

lieferte Fassung genügend Einblick in die Art und Weise, wie man damals zur Erreichung eines bestimmten Zweckes sprach.

Literaturhinweise: Die Kreuzzüge in Augenzeugenberichten. Hrsg. von Régine Pernoud. München 1972. (dtv 763.) – Le Goff, Jacques: Das Hochmittelalter. Frankfurt a. M. 1965. (Fischer Weltgeschichte 11.)

Verstattet mir ein Wort an euch, meine Herren und meine Brüder, gestattet mir ein Wort – wahrlich nicht meines, sondern Christi: Christus selbst gibt mir die Worte ein, ich bin nur sein zerbrechliches Werkzeug.

Christus spricht heute zu euch durch meinen Mund mit seinen eigenen Worten, klagt euch das Unrecht, das ihm angetan. Vertrieben ist Christus aus seiner heiligen Stätte, aus seinem Sitz, ist verstoßen aus jener Stadt, die er selber mit seinem eigenen Blute für sich geweiht hat. Wehe! Wo einst die fleischliche Erscheinung von Gottes Sohn durch die heiligen Propheten verkündigt wurde, wo der schon Geborene als kleiner Knabe im Tempel dargebracht werden wollte, wo er persönlich predigte und lehrte und oftmals Zeichen und Wunder verrichtete, wo er beim Mahl mit seinen Jüngern das Sakrament des allerheiligsten Leibes und Blutes einsetzte, wo er litt, starb und begraben wurde und nach drei Tagen wieder auferstand und vor den Augen seiner Jünger in die Himmel aufgenommen wurde und am zehnten Tage den Heiligen Geist in feurigen Zungen über sie ausgoß: dort herrscht jetzt die Barbarei eines heidnischen Volkes! O Unglück, o Tränen, o Abgrund von Leid! Das Heilige Land, durch das Christus seine Schritte lenkte, in dem er die Kranken heilte, Blinde sehend machte, die Aussätzigen reinigte und die Toten erweckte, dieses Land, sage ich, ist in die Hand der Ungläubigen gegeben; gestürzt sind die Kirchen, beschmutzt ist das Heiligtum, des Reiches[1] Sitz und Würde ist auf die Heiden gekommen! Jenes allerheiligste, ehrwür-

1. des Königreiches Jerusalem.

dige Kreuzesholz[2], das von Christi Blut getränkt wurde, wird von Menschen, denen das Wort ›Kreuz‹ als eine Torheit gilt, so verborgen und versteckt gehalten, daß kein Christ zu wissen vermag, was aus ihm geworden und wo man es zu suchen hat. Unser Volk, das jenes Land bewohnte, ist fast vollständig vom Schwert des Feindes oder in schon lange währender Gefangenschaft dahingerafft. Nur die wenigen, die jener Niederlage entrinnen konnten, halten sich bei Akkon und in anderen einigermaßen sicheren Plätzen und müssen dort zahlreiche Angriffe der Barbaren über sich ergehen lassen. Das ist Christi Not, die ihn selber treibt, euch heute durch meinen Mund zu bitten!
Deshalb, ihr starken Krieger, kommt jetzt Christus zu Hilfe, gebt eure Namen zur christlichen Heerfahrt, laßt euch freudig in ein glückhaftes Lager einreihen! Euch vertraue ich heute Christi Sache an, ihn selber gebe ich euch sozusagen in die Hand, damit ihr euch müht, ihn in sein Erbe wiedereinzusetzen, aus dem er grausam vertrieben ist.
Und damit es euch nicht schreckt, daß zu dieser Zeit die Wut der Heiden so stark über die Unseren geworden ist, möchte ich euch an die Vergangenheit erinnern. Zur Zeit, als der berühmte Kreuzzug unter dem edlen Herzog Gottfried und den übrigen Fürsten der Franken und Deutschen stattfand, hatte das ungläubige Volk ebenso wie jetzt alle Christen getötet oder gefangen und ihr Land in Besitz genommen, hatte die heilige Stadt Jerusalem, Tyrus und Sidon, selbst Antiochia und andere feste Städte, ja, das ganze Land bis hin nach Konstantinopel vierzig Jahre hindurch unangefochten in sicherem Besitz. Trotzdem wurde das alles nach dem Willen des Herrn durch dieses unser Heer in kürzester Frist wie im Vorbeigehen wiedergewonnen: Nikäa, Ikonium, Antiochia, Tripolis und andere Städte wurden erobert, sogar der Sitz des Königreiches, Jerusalem selber, wurde unserem Volke wieder zurückgegeben. Diesmal aber ist – mag auch das ungläubige Volk die Hauptstadt und den größten Teil

2. Nach einer umfangreichen mittelalterlichen Überlieferung sollen Reste des Kreuzes Christi erhalten geblieben sein.

des Landes mit Gewalt behaupten – Akkon doch noch unser, unser ist Antiochia, unser sind bis jetzt noch einige andere starke, feste Städte! Auf sie gestützt, werdet ihr mit Gottes Gnade und unserer Kraft, ihr ruhmvollen Krieger, auch jene berühmte Stätte mitsamt allen anderen wieder in unsere Gewalt bringen können!

Wenn ihr aber fragt, was ihr von Gott an sicherem Lohn für solche Mühen erhoffen dürft, so verspreche ich euch gewißlich: Es wird jeder, der das Zeichen des Kreuzes nimmt und reine Buße tut, jeglicher Sünde fortan ledig sein, und gleichgültig, an welchem Ort, zu welcher Zeit und durch welches Geschick er das gegenwärtige Leben verlieren mag, er wird das ewige Leben gewinnen! Ich schweige jetzt davon, daß jenes Land, das ihr aufsuchen werdet, bei weitem reicher und fruchtbarer ist als dieses hier; und es ist leicht möglich, daß viele unter euch dort selbst in den Dingen der Zeitlichkeit ein glücklicheres Schicksal finden, als sie es nach ihrer Erinnerung hier erfahren haben.

So seht jetzt, Brüder, wie groß auf dieser Kreuzfahrt die Sicherheit ist, bei der euch die Verheißung des himmlischen Reiches gewiß und die Hoffnung auf Glück in der Zeitlichkeit größer ist. Ich selbst gelobe mich als Gefährte der Reise und der Mühen, und wie es Gott gefallen mag, will ich Glück und Unglück mit euch teilen. Nehmt also jetzt, meine Brüder, frohen Sinnes das sieghafte Zeichen des Kreuzes[3], damit ihr die Sache des Gekreuzigten getreulich zum Ziele führen und um eine kurze, mäßige Mühe hohen, ewigen Lohn erwerben könnt!

Über die Wirkung der Rede berichtet Gunther von Pairis: »Von diesen Worten des ehrwürdigen Mannes waren alle Anwesenden tief erschüttert; man hätte sehen können, wie ihm und allen anderen die Tränen reichlich über das Gesicht rannen; Seufzer, Schluchzen und Stöhnen hätte man hören

3. Zur Bekundung ihrer Bereitschaft zum Kreuzzug hefteten die Kreuzfahrer ein Kreuz auf ihre Kleidung.

können und andere derartige Zeichen, die einen Maßstab für ihre innere Erschütterung bildeten« (Die Eroberung von Konstantinopel, S. 39).

3. Friedrich der Große zu seinen Offizieren vor der Schlacht bei Leuthen

Als Friedrich der Große 1740 die Herrschaft in Preußen übernahm, ging er von dem außenpolitischen Konzept aus, Preußen eine führende Position in Europa zu verschaffen. Das führte zur Kollision mit den Interessen Österreichs. Die beiden Schlesischen Kriege (1740–42 und 1744/45), die mit der preußischen Annexion Schlesiens endeten, waren die ersten Stationen dieser Expansionspolitik.
Der Siebenjährige Krieg (1756–63), der unter Teilnahme Englands (auf preußischer Seite) und Frankreichs (auf österreichischer Seite) die kolonialen Interessen (Indien und Nordamerika) mit der Schlesien-Frage verquickte, sicherte schließlich Preußen unter großen Verlusten die angestrebte Position.
Das erste Kriegsjahr brachte Preußen etliche Siege, doch am 16. August 1757 erlitt es die erste große Niederlage bei Kolin: Die Lage Preußens verschlechterte sich, und Österreich vermochte nach und nach in Schlesien Fuß zu fassen.
Am 24. November 1757 wurde schließlich Breslau von den Österreichern erobert, während sich der König selbst in Sachsen befand; dort hatte er die Franzosen bei Roßbach geschlagen. In seiner Darstellung über den Siebenjährigen Krieg schreibt Friedrich über die damalige Situation:
»Der König erhielt all diese niederschmetternden Nachrichten auf einmal. Er ließ sich durch die Schicksalsschläge nicht niederdrücken, sondern sann nur auf Abhilfe und beschleunigte seinen Marsch, um das Oderufer möglichst bald zu erreichen. [...] Am 28. November traf er in Parchwitz ein. Er hatte den Marsch von Leipzig bis zur Oder in zwölf Tagen zurückgelegt. [...] Kein Augenblick war zu verlieren.

Man mußte die Österreicher um jeden Preis unverzüglich angreifen und aus Schlesien herauswerfen oder sich für immer in den Verlust der Provinz fügen. Die schlesische Armee ging bei Glogau wieder über die Oder, konnte sich mit den Truppen des Königs aber erst am 2. Dezember vereinigen. Sie war mutlos und durch die eben erlittene Niederlage tief gedrückt. Man faßte die Offiziere bei ihrer Ehre, erinnerte sie an ihre früheren Siege, suchte durch Frohsinn den frischen Eindruck der traurigen Bilder zu verwischen. Selbst der Wein mußte zur Wiederbelebung der niedergeschlagenen Geister herhalten. Der König sprach mit den Soldaten und ließ unentgeltlich Lebensmittel verteilen. Kurz, er erschöpfte alle Mittel, die die Einbildungskraft ersinnen konnte und die die Zeit irgend erlaubte, um im Heere wieder Vertrauen wachzurufen, ohne das die Hoffnung auf Sieg eitel ist. Schon begannen die Gesichter sich aufzuhellen. Die Truppen, die soeben die Franzosen bei Roßbach geschlagen hatten, redeten ihren Kameraden zu, guten Mut zu fassen. Etwas Ruhe gab den Soldaten frische Kraft, und die Armee war bereit, bei der ersten Gelegenheit die am 22. erlittene Schmach wieder abzuwaschen. Der König suchte nach dieser Gelegenheit und fand sie bald.«

In diese Vorbereitungen fällt die Ansprache, die der König am 3. Dezember 1757, zwei Tage vor der entscheidenden Schlacht bei Leuthen, in seinem Quartier in Parchwitz (nordwestlich von Leuthen) vor seinen Offizieren gehalten hat.

Der Text ist durch den Major Rudolf Wilhelm von Kaltenborn *(Briefe eines alten preußischen Offiziers, verschiedene Charakterzüge Friedrich des Einzigen betreffend)* überliefert, dessen Aufzeichnung der Ansprache in die Werke Friedrichs aufgenommen wurde.

Literaturhinweise: Augstein, Rudolf: Preußens Friedrich und die Deutschen. Frankfurt a. M. 1971. (Fischer-Bücherei 1212.) – Gooch, George Peabody: Friedrich der Große. Frankfurt a. M. 1964. (Fischer-Bücherei 637/638.) – Wilmanns, Gerda: Friedrich der Große im Urteil der Mit- und Nachwelt. Stuttgart [4]1965. (Quellen und Arbeitshefte zur Geschichte und Gemeinschaftskunde 4202.)

Kaltenborn leitet seine Aufzeichnung ein: »Der König hatte alle Generals und Commandeurs nach Tafel zu sich in sein Quartier bestellt, und hier war es, wo er ihnen mit traurigem Ernst und zuweilen mit einer Thräne im Auge sagte:

›Meine Herren! Ich habe Sie hierher kommen lassen, um Ihnen erstlich für die treuen Dienste, die Sie zeither dem Vaterlande und mir geleistet haben, zu danken. Ich erkenne sie mit dem gerührtesten Gefühl. Es ist beinahe keiner unter Ihnen, der sich nicht durch eine große und ehrebringende Handlung ausgezeichnet hätte. Mich auf Ihren Muth und Erfahrung verlassend, habe ich den Plan zur Bataille[1] gemacht, die ich morgen liefern werde und liefern muß. Ich werde gegen alle Regeln der Kunst einen beinahe zweimal stärkern, auf Anhöhen verschanzt stehenden Feind angreifen. Ich muß es thun, oder es ist alles verloren. Wir müssen den Feind schlagen oder uns vor ihren Batterien[2] alle begraben lassen. So denk ich, so werde ich auch handeln. Ist einer oder der andere unter Ihnen, der nicht so denkt, der fordere hier auf der Stelle seinen Abschied[3]. Ich werde ihm selbigen ohne den geringsten Vorwurf geben.‹

Hier folgte eine Pause von Seiten des Redners, und eine heilige Stille von Seiten der Zuhörer; nur durch mit Mühe zurückgehaltene, der Ehrfurcht und der heiligsten Vaterlandsliebe geweinte Thränen unterbrochen. Darauf erhob der königliche Sprecher seine Stimme wieder und fuhr mit freundlich-lächelndem Gesicht fort:

›Ich habe vermuthet, daß mich keiner von Ihnen verlassen würde; ich rechne nun also ganz auf Ihre treue Hülfe und auf den gewissen Sieg. Sollt' ich bleiben und Sie nicht für das, was Sie morgen thun werden, belohnen können, so wird es unser Vaterland thun. Gehen Sie nun ins Lager, und sagen Sie das, was ich Ihnen hier gesagt habe, Ihren Regimentern, und versichern Sie ihnen dabei, ich würde ein jedes genau

1. Schlacht.
2. Gruppierungen von Geschützen; meist bildeten vier eine Batterie.
3. scheide aus der Armee aus.

bemerken. Das Cavallerie-Regiment, was nicht gleich, wenn es befohlen wird, sich *à corps perdu*[4] in den Feind hineinstürzt, laß ich gleich nach der Bataille absitzen und mach es zu einem Garnison-Regiment. Das Bataillon Infanterie, was, es treffe auch, worauf es wolle, nur zu stocken anfängt, verliert die Fahnen und die Säbels, und ich laß ihnen die Borten von der Montirung schneiden[5]. Nun leben Sie wohl, meine Herren, morgen[6] um diese Zeit haben wir den Feind geschlagen, oder wir sehen uns nie wieder.‹«

4. Otto von Bismarck vor dem Reichstag zum Sozialistengesetz

Auf den wirtschaftlichen Aufschwung der Gründerzeit nach 1871 folgte eine Depressionsphase, die die Tendenzen zum Konservativismus erheblich verstärkte. Sowohl die Liberalen als auch die Sozialdemokraten spürten diese Tendenzen, die Sozialdemokraten um so mehr, als die durch die depressive Wirtschaftslage deutlicher spürbaren Klassengegensätze ihre Formierung förderten, was die konservativen Kräfte als eine große Gefahr für die Stabilität der Herrschaft ansehen mußten.

Bismarck suchte zunächst nach Wegen, die Nationalliberalen, die eine weitere Parlamentarisierung anstrebten und im Budgetrecht ein ausreichendes Druckmittel in der Hand zu haben glaubten, in die Schranken zu weisen. Dieses Ziel verfolgte er seit dem Frühjahr 1878 mit dem Plan einer Reichstagsauflösung. So glaubte er am sichersten eine Entpolitisierung des Reichstages, eine Zerstörung der alten Parteifronten und damit eine politische Neuorientierung konservativer Prägung erreichen zu können.

4. ohne Aussicht, mit dem Leben davonzukommen.
5. die Borten von der Uniform schneiden: mit ihrem Verlust ging die Soldatenehre verloren.
6. *morgen:* lies: übermorgen.

Als am 11. Mai 1878 der Leipziger Klempnergeselle Karl Hödel einen Attentatsversuch auf Kaiser Wilhelm I. unternahm, ergab sich jedoch eine andere Möglichkeit. Bismarck telegraphierte unmittelbar danach an Staatssekretär von Bülow: »Sollte man nicht von dem Attentat Anlaß zu sofortiger Vorlage gegen Sozialisten und deren Presse nehmen?«
Er dachte dabei an ein Sondergesetz gegen »sozialistische Umtriebe«. »Das Gesetz sollte praktisch den Sozialdemokraten jede politische Tätigkeit unmöglich machen. Das war indessen nicht der Hauptzweck. In erster Linie war es das Ziel, die nationalliberalen Widersacher der Kanzlerpolitik vor einer instinktiv die Sicherung von Ruhe und Ordnung, Leben und Besitz fordernden öffentlichen Meinung moralisch zu Mitschuldigen zu machen« (Bismarck und die preußisch-deutsche Politik 1871–1890. Hrsg. von Michael Stürmer. München 1970. S. 91 f.).
Dieser erste Versuch scheiterte, da die Vorlage abgelehnt wurde. Als am 2. Juni 1878 Karl Eduard Nobiling ein Attentat auf den Kaiser unternahm und diesen schwer verletzte, hatte Bismarck die ersehnte Gelegenheit, den Reichstag in Übereinstimmung mit dem Kronrat und dem Bundesrat aufzulösen.
Der neue Reichstag brachte die gewünschten Stimmenverhältnisse. Bismarck schrieb darüber an König Ludwig II. von Bayern: »Die Wahlen zum Reichstag haben den Schwerpunkt des letztern weiter nach rechts geschoben, als man annahm. Das Übergewicht der Liberalen ist vermindert, und zwar in höherem Maße, als die Ziffern erscheinen lassen. Ich war bei Beantragung der Auflösung nicht im Zweifel, daß die Wähler regierungsfreundlicher sind als die Abgeordneten. [...] Das Anwachsen der sozialdemokratischen Gefahr, die jährliche Vermehrung der bedrohlichen Räuberbande, mit der wir gemeinsam unsre größeren Städte bewohnen, die Versagung der Unterstützung gegen diese Gefahr von Seiten der Mehrheit des Reichstags drängt schließlich den deutschen Fürsten, ihren Regierungen und allen Anhängern der staatlichen Ordnung eine Solidarität der

Notwehr auf, welcher die Demagogie der Redner und der Presse nicht gewachsen sein wird« (Stürmer, S. 128 f.).
Am 17. September, während der 1. Lesung des eingebrachten Sozialistengesetzes, ergriff Bismarck zum erstenmal das Wort. Er erläuterte in langen Ausführungen seine früheren Beziehungen zur Sozialdemokratie, vor allem auch zu Ferdinand Lassalle. Erst im zweiten Teil seiner Rede, der im folgenden abgedruckt ist, kommt er auf die Gesetzesvorlage und ihren Anlaß zu sprechen.

Literaturhinweise: Pack, Wolfgang: Das parlamentarische Ringen um das Sozialistengesetz Bismarcks 1878–1890. Düsseldorf 1961. – Bismarck und die preußisch-deutsche Politik 1871–1890. Hrsg. von Michael Stürmer. München 1970. (dtv 692.)

Meine Herren!
[...]
Ich komme zu der Frage zurück, wann und warum ich meine Bemühungen um soziale Verhältnisse aufgegeben habe, und wann überhaupt meine Stellung zu der sozialen Frage eine andere geworden ist, *sozialdemokratische* mochte sie sich damals nennen. Es stammt dies von dem Augenblick her, wo in versammeltem Reichstag [...], ich weiß nicht, war es der Abg. Bebel oder Liebknecht[1], aber einer von diesen beiden, in pathetischem Appell die französische Commune[2] als Vorbild politischer Einrichtungen hinstellte und sich selbst offen vor dem Volke zu dem Evangelium dieser Mörder und Mordbrenner bekannte. Von diesem Augenblick an habe ich die Wucht der Überzeugung von der Gefahr, die uns bedroht, empfunden; ich war inzwischen abwesend gewesen durch Krankheit und Krieg, ich habe mich dabei nicht um diese Dinge bekümmert – aber jener Anruf der Commune war ein Lichtstrahl, der in die Sache fiel, und von die-

1. August Bebel in der Reichstagssitzung vom 25. Mai 1871.
2. Aufstand der Pariser Commune, März bis Mai 1871; radikale Kommunisten und Sozialisten ergreifen in Paris die Macht. Der Aufstand wird blutig niedergeschlagen (30 000 Tote).

sem Augenblick an habe ich in den sozialdemokratischen Elementen einen Feind erkannt, gegen den der Staat, die Gesellschaft sich im Stande der Notwehr befindet. Die Versuche, die ich dagegen gemacht habe bei den verschiedenen Akten der Gesetzgebung, die wir hatten, sind ja bekannt und in der Erinnerung des Reichstags; Sie wissen ja, ich bin damit nicht durchgekommen, ich habe sogar viel Vorwürfe darüber hören müssen, aber es hat von dem Augenblick an Versuchen, dem Sozialismus entgegenzutreten, nicht gefehlt. Ich glaube auch nicht an die Fruchtlosigkeit unserer Versuche, von der man immer spricht; wir haben gar nicht nötig, in Deutschland zu den drastischen Mitteln wie in Frankreich zu greifen, aber Frankreich ist von dem Vorort des Sozialismus sehr erheblich zurückgetreten auf einen Standpunkt, mit dem die Regierung und die Gesellschaft es aushalten kann. Wodurch denn? Etwa durch die Überzeugung? Nein! Durch gewaltsame Repressionen, durch Mittel, die ich gar nicht zur Nachahmung bei uns empfehlen möchte, und ich hoffe, wir werden dahin bei uns nicht kommen. England hat für alle dergleichen Exzesse und Vergiftungen der öffentlichen Meinung sehr viel strengere Strafen; wer dort angefaßt wird, dem ist eine Gefängnisstrafe von 30 Tagen das mindeste, was er bekommt. Was ist aber ein englisches Gefängnis? Das ist nicht, wie hier am Plötzensee[3], wo ja die Herren sich ganz behaglich finden, sondern da ist eine hölzerne Pritsche und weiter nichts, das ist, wie wenn jemand auf Latten liegt, und solche 30 Tage Gefängnis ist nicht etwas, was jemand so leicht erträgt wie zwei Monat Plötzensee. Ist denn dieser rhetorische Appell, der damals an die Commune gerichtet wurde, dieser Appell an die Drohungen und die Gewalttat, ist denn der bloß als eine rhetorische Form zu nehmen, hat er sich denn nicht in langjähriger Preßtätigkeit fortgesetzt? Seit Jahren habe ich diese Presse beobachtet und die Aufforderung zur Gewalttat und die Vorbereitung auf künftige Gewalttat ist ja in der Presse sehr erkennbar, auch ohne daß

3. Ortschaft nordwestlich von Berlin mit großer Strafanstalt.

es so deutlich wird, wie in den letzten Wochen. Ich erinnere mich eines Artikels aus einem sozialistischen Blatte, ich habe ihn zwar nur in dem Auszuge, welchen die »Post«[4] von demselben gegeben hat, gelesen, da war der Mord des Generals Mesenzow als eine gerechte Hinrichtung geschildert und in wenig mißverständlichen Ausdrücken die Anwendung des ähnlichen Systems auf unsere deutschen Verhältnisse empfohlen, und er schloß mit dem Worte: *discite moniti!*[5]

Nun, meine Herren, der Artikel wird Ihnen wohl allen in der Erinnerung sein; es war nicht etwa ein *lapsus calami*[6], sondern ganz in jüngster Zeit habe ich aus denselben Kreisen einen anderen Artikel gelesen, wahrscheinlich von derselben Zeitung, in dem gesagt war, alle unsere Beschlüsse, unsere Gesetze könnten der Sozialdemokratie nichts tun, aber die Gesetzgeber und alle, die dabei mitwirken, möchten sich doch der Verantwortlichkeit einmal recht klar bewußt werden, die sie persönlich übernehmen, wenn sie gegen die Sozialdemokratie vorgehen, und es schloß auch dieser Artikel mit der deutlichen Wendung der deutschen Übersetzung des *discite moniti!* – mit dem Anklang an den ersten Artikel, der so große Entrüstung erregte, mit dem Rufe: Ihr seid gewarnt! Wovor denn gewarnt? Doch vor nichts anderem, als vor dem nihilistischen Messer und der Nobilingschen Schrotflinte. Ja, meine Herren, wenn wir in einer solchen Weise unter der Tyrannei einer Gesellschaft von Banditen existieren sollen, dann verliert jede Existenz ihren Wert,

(Bravo! rechts.)

und ich hoffe, daß der Reichstag den Regierungen, dem Kaiser, der den Schutz für seine Person, für seine preußischen Untertanen und seine deutschen Landsleute verlangt, – daß wir ihm zur Seite stehen werden! Daß bei der Gelegenheit

4. »Die Post«, 1866 gegründete Zeitung, Organ der freikonservativen und deutschen Reichspartei.

5. lat., eigentlich »Discite iustitiam moniti et non temnere divos!« (Vergil, Aeneis VI, 620): Lernet, gewarnt, Recht tun und nicht mißachten die Götter.

6. lat., Fehlstrich des Schreibrohrs oder Griffels, d. h. ein Versehen.

vielleicht einige Opfer des Meuchelmordes unter uns noch fallen werden, das ist ja sehr wohl möglich, aber jeder, dem das geschehen könnte, mag eingedenk sein, daß er zum Nutzen, zum großen Nutzen seines Vaterlandes auf dem Schlachtfeld der Ehre bleibt!

(Lebhaftes Bravo! rechts.)

5. *Winston Churchill an die englische Bevölkerung zum Beginn des Luftkrieges über England*

Der deutsche Frankreichfeldzug begann am 10. Mai 1940 (am gleichen Tag wurde in England eine Koalitionsregierung unter Winston Churchill gebildet) und endete am 22. Juni 1940 mit dem in Compiègne bei Paris geschlossenen Waffenstillstand.

Frankreich wurde in ein besetztes und in ein nichtbesetztes Gebiet geteilt. Im nichtbesetzten Gebiet, im sogenannten ›Vichy‹-Frankreich, übernahm am 10. Juli 1940 Marschall Henri Pétain die ›Regierung‹; das besetzte Gebiet, die ganze Atlantikküste, wurde Aufmarschgebiet für den geplanten Kampf gegen England.

Churchill schreibt in seinen Memoiren: »Ich selbst schrak durchaus nicht vor der bevorstehenden Kraftprobe zurück. [...] Wie Marschall Pétain, Weygand und so viele französische Generäle und Politiker, verstand er [Hitler] die andersgearteten, dem feindlichen Zugriff entrückten Kraftquellen eines Inselstaates nicht, und wie die Franzosen unterschätzte er unsere Willenskraft. Wir hatten seit München einen langen Weg zurückgelegt und sehr viel gelernt. Während des Monats Juni setzte sich Hitler mit der neuen Lage auseinander, wie sie ihm nach und nach aufdämmerte, während die deutsche Luftwaffe sich erholte und für ihre neue Aufgabe rüstete. [...] Erst am 10. Juli begann der erste schwere Ansturm, und dieses Datum gilt gewöhnlich als der Anfang der Schlacht« (Churchill: Memoiren. Bd. 2,2. Bern 1949. S. 8 f.).

Bei dieser Einschätzung der Lage hielt Churchill am 14. Juli 1940 im britischen Rundfunk eine Rede an die Bevölkerung seines Landes.

Literaturhinweis: Churchill, Winston Spencer: Memoiren. Der zweite Weltkrieg. Bd. 2,1 u. 2,2. Bern 1949.
Auszüge aus dieser Rede befinden sich auf dem Tonband *Voices from across the Channel* (s. Literaturverzeichnis am Schluß des Bandes).

In den letzten zwei Wochen mußte sich die britische Flotte neben ihrer Aufgabe, den Rest der deutschen Marine[1] zu blockieren und auf die italienische Flotte Jagd zu machen, der traurigen Pflicht unterziehen, die Großkampfschiffe der französischen Flotte für die Kriegsdauer kampfuntauglich zu machen. Diese Schiffe wären unter den Bedingungen des im Salonwagen zu Compiègne unterzeichneten Waffenstillstandes[2] der Gewalt Nazi-Deutschlands überantwortet worden. Die Aushändigung dieser Schiffe an Hitler würde sowohl die Sicherheit Englands als die der Vereinigten Staaten gefährdet haben. Es blieb uns also keine andere Wahl, als so zu handeln, wie wir gehandelt haben, und zwar unverzüglich zu handeln. Diese unsere betrübliche Aufgabe ist nun durchgeführt. Obwohl das noch nicht ganz vollendete Schlachtschiff ›Jean Bart‹ sich noch immer in einem marokkanischen Hafen befindet und obwohl eine Anzahl französischer Kriegsschiffe in Toulon und in verschiedenen anderen, über die ganze Welt verstreuten, französischen Häfen liegen, so sind diese Schiffe doch nicht so placiert oder so stark, daß sie unsere Vormacht zur See in Frage stellen könnten. Solange sie daher keinen Versuch machen, Häfen anzulaufen, die unter deutscher oder italienischer Kontrolle stehen, werden wir sie in keiner Weise belästigen. Diese bedauerliche

1. Churchill meint hier wahrscheinlich die deutsche Marine nach dem Kampf um Norwegen.
2. Im ehemaligen Salon-Eisenbahnwagen des Marschalls Foch in Compiègne, in dem 1918 der Waffenstillstand geschlossen worden war, hatte Hitler die Kapitulation Frankreichs entgegengenommen.

Episode in unseren Beziehungen zu Frankreich ist, soweit es an uns liegt, zu Ende.
Denken wir lieber an die Zukunft. Heute ist der 14. Juli, Frankreichs Nationalfeiertag[3]. Vor einem Jahr sah ich in Paris der herrlichen Parade der französischen Armee und der Truppen des Französischen Weltreichs zu, die über die Champs-Elysées marschierten. Wer kann vorhersagen, was uns die nächsten Jahre bringen werden? Wir sind von Glauben erfüllt, von einem Glauben, der uns Hilfe und Trost gewährt, während wir gebannt vor dem Schauspiel der Geschichte stehen, das vor unseren Augen abrollt. Und ich will hier meinen felsenfesten Glauben aussprechen, daß viele von uns einen 14. Juli erleben werden, an dem ein befreites Frankreich sich wiederum im Glanze seiner Größe und seines Ruhmes sonnen kann und wieder als Vorkämpfer der Freiheit und der Menschenrechte dasteht. Wenn dieser Tag kommt – und er wird kommen –, dann wird ganz Frankreich sich verstehend und liebevoll den französischen Männern und Frauen zuwenden, wo immer sie sich befinden mögen, die in den düstersten Stunden nicht an der Zukunft der Republik verzweifelt sind.
In der Zwischenzeit wollen wir unser Sprechen und Denken nicht an Vorwürfe verschwenden. Wenn man einen Freund und Genossen hat, an dessen Seite man in schrecklichen Kämpfen gestanden hat, und wenn dieser Freund durch einen betäubenden Schlag zu Boden gestreckt ist, dann mag es nötig sein, dafür zu sorgen, daß die Waffe, die seiner Hand entfallen ist, dem gemeinsamen Feind nicht zugute kommen kann. Doch braucht man dem Freunde seine Schmerzensschreie und Gebärden seiner Qual nicht zu verübeln. Man darf seine Leiden nicht schlimmer machen; man muß alles für seine Genesung unternehmen. Englands und Frankreichs Interessengemeinschaft bleibt aufrecht. Die Sache, für die sie in den Kampf gezogen sind, besteht fort. Die unausweichliche Pflicht bleibt bestehen. Solange wir auf

3. zum Gedenken an den Sturm auf die Bastille im Jahre 1789.

unserem Weg zum Sieg nicht behindert werden, sind wir bereit, der französischen Regierung alle Freundschaftsdienste zu erweisen, die im Bereich der Möglichkeit liegen, und diejenigen Teile des großen Französischen Weltreiches, die nun von dem versklavten Frankreich abgeschnitten sind, die aber ihre Freiheit bewahren, in ihrem Wirtschaftsleben zu fördern und bei ihrer Verwaltung zu unterstützen. Soweit es die unerbittlichen Forderungen des Krieges zulassen, den wir gegen Hitler und die Hitlerei führen, werden wir versuchen, uns so zu verhalten, daß das Herz jedes wahren Franzosen höher schlagen und warm werden muß, wenn er sieht, wie wir den Kampf fortführen; und daß nicht nur Frankreich, sondern alle unterdrückten Nationen Europas von dem Gefühle durchdrungen werden, daß jede neue britische Siegestat einen weiteren Schritt darstellt zu der Befreiung des Kontinents von der schimpflichsten Knechtschaft, in die er jemals gestürzt worden ist.

Alles spricht dafür, daß dieser Krieg lang und schwer sein wird. Niemand vermag zu sagen, wohin er sich noch ausbreiten wird. Eines ist sicher: nicht lange werden die Völker von der Gestapo beherrscht werden, niemals wird sich die Welt Hitlers Evangelium des Hasses, der Begehrlichkeit und Tyrannei unterwerfen.

[4]Und nun ist es so weit gekommen, daß wir allein in der Bresche stehen und dem Schlimmsten, was die Macht und Feindschaft des Tyrannen vollbringen kann, die Stirne bieten. In Demut vor Gott, aber mit dem Bewußtsein, daß wir einem höheren Zweck dienen, sind wir bereit, unser Vaterland gegen die Invasion zu verteidigen, die ihm droht. Wir kämpfen allein; aber wir kämpfen nicht für uns allein. Hier in dieser mächtigen Freistatt, die die Urkunden des menschlichen Fortschritts[5] birgt und von so tiefer Bedeutung ist für die

4. Vgl. zum folgenden Text das Tonband »Voices from across the Channel« (Literaturverzeichnis).

5. Churchill spielt hier auf die beiden englischen Verfassungsurkunden an (Magna Charta 1215 und Bill of Rights 1689), die bedeutsame Stationen auf dem Weg zum englischen und europäischen Parlamentarismus markieren.

christliche Zivilisation; hier, umgürtet von den Meeren und Ozeanen, wo unsere Flotte herrscht; beschirmt von oben durch den Heldenmut und die Hingebung unserer Flieger: – hier erwarten wir furchtlos den drohenden Ansturm. Vielleicht kommt er heute. Vielleicht kommt er nächste Woche. Vielleicht kommt er nie. Wir müssen uns gleichermaßen fähig zeigen, einem plötzlichen mächtigen Schlag zu begegnen, oder – und das ist vielleicht die schwerere Belastungsprobe – eine langandauernde Wache durchzuhalten. Doch ob unsere Qual heftig oder lang sei, oder beides: wir werden keinen Ausgleich schließen, wir werden kein Parlamentieren[6] zulassen; wir werden vielleicht Gnade walten lassen – um Gnade bitten werden wir nicht.
Ich kann durchaus verstehen, daß wohlwollende Zuschauer jenseits des Atlantiks oder besorgte Freunde in den noch nicht vergewaltigten Ländern Europas, die die Quellen unserer Kraft, die unsere Entschlossenheit nicht ermessen können, um unseren Fortbestand gezittert haben mögen, als sie sahen, wie so viele Staaten und Reiche in wenigen Wochen, ja Tagen, durch die gewaltige Macht der nazideutschen Kriegsmaschine in Stücke geschlagen wurden. Doch Hitler ist bisher noch niemals einem großen Volke gegenübergestanden, dessen Willenskraft der seinen gleichkommt. Viele dieser Länder sind durch Intrigen vergiftet worden, bevor die Gewalt sie niederschlug. Sie wurden von innen her mit Fäulnis durchsetzt, bevor sie von außen zerschmettert wurden. Wie könnte man sonst erklären, was Frankreich zugestoßen ist – der französischen Armee, dem französischen Volk, den Führern des französischen Volkes?
Hier jedoch, auf unserer Insel, sind wir wohlauf und guten Mutes. Wir haben mitangesehen, wie Hitler mit wissenschaftlicher Gründlichkeit die Pläne zur Zerstörung der Nachbarstaaten Deutschlands ausarbeitete. Er hatte seine Pläne für Polen und für Norwegen. Er hatte seine Pläne für Dänemark. Er hatte alle seine Pläne zur Vernichtung der fried-

6. Verhandeln.

fertigen, vertrauensseligen Holländer ausgearbeitet; und natürlich auch für die Belgier. Wir haben gesehen, wie Frankreichs Macht untergraben und gestürzt wurde. Wir dürfen also sicher sein, daß tatsächlich ein Plan – vielleicht ein in jahrelanger Arbeit vorbereiteter Plan – für die Zerstörung Großbritanniens besteht, das sich schließlich der Ehre rühmen darf, Hitlers hauptsächlicher und hervorragendster Gegner zu sein. Ich kann nur sagen, daß jeder Invasionsplan, den Hitler etwa vor zwei Monaten entworfen haben mag, völlig umgestaltet worden sein muß, um unsere neue Position in Rechnung zu stellen. Vor zwei Monaten – nein, noch vor einem Monat – bestand unsere erste und wichtigste Aufgabe darin, unsere besten Truppen in Frankreich zu halten. Unsere ganze reguläre Armee, unsere gesamte Waffenproduktion und ein großer Teil unserer Luftflotte mußte nach Frankreich geschickt und dort gefechtstüchtig erhalten werden. Nun aber haben wir all das hier. In keinem Zeitpunkt des vorigen oder dieses Krieges hatten wir auf dieser Insel ein Heer, das dem, das heute hier Wache hält, an Qualität, Ausrüstung oder Zahl vergleichbar gewesen wäre. Heute stehen in der britischen Armee eineinhalb Millionen Mann unter Waffen, und ihre Organisation, ihre Verteidigungsanlagen und ihre Kampfkraft sind mit jeder Woche der Monate Juni und Juli sprunghaft angewachsen. Kein Lob ist zu hoch für diese Offiziere und Soldaten – ja, und auch für die Zivilpersonen –, die diese gewaltige Änderung in so kurzer Zeit zuwege gebracht haben. Hinter diesen Soldaten der regulären Armee stehen zur Vernichtung von Fallschirmabspringern, von mit Flugzeugen gelandeten Invasionstruppen und von Verrätern, die sich in unserer Mitte finden könnten (ich glaube aber nicht, daß es ihrer viele gibt – und wehe ihnen, denn wir werden kurzen Prozeß mit ihnen machen), hinter der regulären Armee steht über eine Million Mann freiwilliger Ortsschutztruppen – oder, wie man sie besser nennt: Heimatwehr – bereit. Diese Offiziere und Soldaten, die zum großen Teil den vorigen Krieg mitgemacht haben, sind von dem brennenden Wunsche beseelt, den Feind anzugreifen

und ihm zu Leibe zu rücken, wo immer er auftauchen möge. Sollte es zur Invasion Englands kommen, dann wird die Bevölkerung sich nicht unterwürfig vor dem eindringenden Feinde beugen, wie wir das, Gott sei's geklagt, in anderen Ländern sehen mußten. Wir werden jedes Dorf, jeden Marktflecken, jede Stadt verteidigen. Das Häusermeer Londons allein könnte, im Straßenkampf schrittweise verteidigt, leicht eine ganze feindliche Armee verschlingen; und wir würden lieber London in Schutt und Asche sehen, als zugeben, daß es gefügig und ehrlos in Sklaverei verfiele. Ich muß diese Tatsachen feststellen, weil es notwendig ist, unserem Volke unsere Absichten bekanntzugeben und es so mit Zuversicht zu erfüllen.
Die letzte Woche war eine große Woche für die Königliche Luftwaffe und für das Jagdfliegerkommando. Sie haben von den deutschen Flugzeugen, die unsere Convoys[7] im Ärmelkanal zu belästigen versuchten oder es wagten, über die britische Küste einzufliegen, mehr als fünf abgeschossen für jedes, das sie selbst verloren. Das ist natürlich nur das Vorspiel zu den großen Luftschlachten, die bevorstehen. Ich sehe aber keinen Grund, weshalb wir mit den bisher erzielten Erfolgen unzufrieden sein sollten, obwohl wir natürlich hoffen, unsere Erfolge noch zu steigern, wenn sich die Kampfzone noch mehr ausbreitet und sich weiter in unser Land hineinzieht. Um uns liegt die Macht der Königlichen Flotte. Mit mehr als tausend Schiffen, die unter der weißen Kriegsflagge[8] auf den Meeren patrouillieren, ist die Flotte, die sehr schnell jedem bedrohten Teile des Britischen Weltreiches zu Hilfe eilen kann, auch imstande, die Verbindungswege zur Neuen Welt offenzuhalten, aus der in dem Maße, als sich der Kampf verschärft, immer zunehmende Hilfe kommen wird. Es ist doch bemerkenswert, daß nach zehn Monaten uneingeschränkter U-Boot- und Fliegerangriffe auf unseren

7. Geleitzüge von Schiffen.
8. Bei der englischen Kriegsflagge wird das weiße Flaggentuch durch ein rotes Kreuz in vier gleiche Felder geteilt, das linke obere Feld (am Flaggenstock) wird vom Union-Jack ausgefüllt.

Seehandel unsere Nahrungsmittelreserven einen höheren Stand aufweisen als je zuvor, und daß Schiffe von beträchtlich höherer Gesamttonnage unter unserer Flagge segeln als zu Beginn des Krieges, ganz abgesehen von der großen Anzahl fremder Schiffe, die unserer Kontrolle unterstellt sind.
Warum spreche ich so ausführlich über all das? Sicherlich nicht, um zu einem Nachlassen unseres Krafteinsatzes oder unserer Wachsamkeit zu verführen. Ganz im Gegenteil: wir müssen sie verdoppeln und nicht bloß für den Sommer, sondern auch für den Winter unsere Vorkehrungen treffen; nicht bloß für das Jahr 1941, sondern auch für 1942; allerdings wird dann – dessen bin ich gewiß – unsere Kriegsführung eine wesentlich andere Form annehmen als die der Defensive, auf die sie sich bisher beschränkt hat. Ich spreche so ausführlich von diesen Faktoren unserer Stärke, von diesen Kraftquellen, die wir erschlossen haben und überwachen, weil es zweckmäßig ist, aufzuzeigen, daß die gerechte Sache wirklich die Kräfte aufbieten kann, die zu ihrem Fortbestand erforderlich sind; und daß wir, während wir uns mühselig den Weg durch das dunkle Tal bahnen, den Sonnenschein erblicken, der die Höhen überflutet.
[9]Ich stehe an der Spitze einer Regierung, die alle Parteien des Staates umfaßt, alle Glaubensbekenntnisse, alle Klassen, alle wahrnehmbaren Meinungsrichtungen. Wir scharen uns unter der Krone unserer altehrwürdigen Monarchie. Ein freies Parlament und eine freie Presse gewähren uns ihre Unterstützung; aber *ein* Band ist es, das uns alle vereint und uns die Zustimmung der Öffentlichkeit sichert: nämlich, daß wir – wie es in zunehmendem Maße allen deutlich wird – bereit sind, alles zu wagen, alles zu ertragen und alles durchzusetzen; dies ist das Band, das heute die Regierung Seiner Majestät vereint. Nur so können in Zeiten wie den heutigen die Völker ihre Freiheit bewahren; nur so können sie der Sache, die ihnen anvertraut ist, zum Siege verhelfen.
Doch alles hängt nun davon ab, daß die britische Nation in

9. Vgl. zum folgenden das Tonband.

allen Erdteilen, daß alle uns verbündeten Völker und alle uns Wohlgesinnten in allen Ländern der Welt ihre ganze Lebensenergie aufbieten und Tag und Nacht ihr Äußerstes tun, alles geben, alles wagen, alles ertragen, bis zum letzten, bis zum Ende. Dies ist nicht ein Kampf von Kriegsherren oder Fürsten, von Dynastien oder nationalen Machtbestrebungen; es ist ein Kampf der Völker, ein Kampf der Gesinnungen. Unzählige Menschen, nicht nur auf unserer Insel, sondern in allen Ländern, werden in diesem Kampf treue Dienste leisten, Menschen, deren Namen niemals bekannt, deren Taten niemals aufgezeichnet sein werden. Dieser Krieg ist ein Krieg der unbekannten Kämpfer; aber wenn alle ihr Bestes tun, in unerschütterlichem Glauben und mit unablässiger Pflichterfüllung, dann wird unsere Zeit von dem Fluch des Hitlertums erlöst werden.

6. Joseph Goebbels proklamiert im Berliner Sportpalast den totalen Krieg

Um die Jahreswende 1942/43 war die Lage an der deutschen Ostfront katastrophal geworden.
Trotz wohldosierter Propagierung von Siegeszuversicht breitete sich in der deutschen Bevölkerung als Reaktion auf die Vorgänge in Stalingrad Niedergeschlagenheit aus.
Joseph Goebbels leitete in seiner Eigenschaft als Reichspropagandaminister aus dieser Situation ein neues Kriegs- und Propagandaprogramm ab. In einer Konferenz mit seinen engsten Mitarbeitern am 4. Januar 1943 vertrat er die Ansicht: »Jeder Tag beweise mehr, daß wir im Osten einem brutalen Gegner gegenüberstehen, den man nur mit den brutalsten Mitteln niederzwingen könne, und hierfür müsse der totale Einsatz unserer gesamten Kräfte und Reserven erfolgen. [...] Wenn das Volk spüre, daß nicht nur Propaganda für den totalen Krieg gemacht, sondern auch die notwendigen Konsequenzen gezogen würden, so bekomme

die Propaganda ihre richtige Substanz und Wirkung. Es sei jetzt an der Zeit zu handeln, und man dürfe sich nicht in den Frühling vertrösten« (Wollt Ihr den totalen Krieg? Die geheimen Goebbels-Konferenzen 1939–1943. Hrsg. von Willi A. Boelcke. München 1969. S. 414 f.).
Für die Kriegspropaganda setzte Goebbels auf dieser Konferenz u. a. die Kernsätze fest, die dem Volk »einzuhämmern« seien:

1. Der Krieg ist dem deutschen Volk aufgezwungen worden;
2. Es gehe in diesem Kriege um Leben oder Sterben;
3. Es gehe um die totale Kriegsführung (ebd. S. 415).

Höhepunkt von Goebbels' organisatorischer und propagandistischer Arbeit war die Rede, die er am 18. Februar 1943 im Berliner Sportpalast hielt und die über alle deutschen Rundfunksender ausgestrahlt wurde. Goebbels hatte sich vorgenommen, mit dieser Rede die deutsche Bevölkerung aus ihrem Stimmungstief herauszureißen, sie wieder fest an die Führung zu binden und damit seine Position gegenüber Bormann und Keitel bei Hitler weiter zu stärken. Sorgfältigste Regiearbeit bei allen mit dieser Rede zusammenhängenden Fragen sollte die Erreichung dieses Ziels sichern.
»Über die Ausarbeitung der Sportpalastrede sind heute mancherlei Einzelheiten bekannt [ungedrucktes Tagebuch Goebbels' vom 14.–23. Februar 1943]. Am Nachmittag des 14. Februar diktierte Goebbels den Text und machte sich noch am selben Abend an die Korrektur. In der Absicht, ›ein Meisterstück seiner Redekunst‹ zu liefern, überarbeitete er die erste Fassung in den folgenden Tagen noch mehrmals. Am 17. Februar milderte er ›einige allzu scharfe Stellen‹ ab und ließ die Partien, die die Außenpolitik betrafen, vom Auswärtigen Amt durchsehen. Dann hatte er den Eindruck, daß die Rede ›einen großen Wurf‹ darstelle, und war überzeugt, daß ihr ›ein großer Erfolg‹ beschieden sein würde« (Moltmann, Günter: Goebbels' Rede zum totalen Krieg. In: Vierteljahreshefte für Zeitgeschichte 12 (1964) H. 1, S. 25).

Der Schauplatz der Rede wurde ähnlich gründlich vorbereitet, der äußere Aufwand war genau abgewogen. Im Verhältnis zu anderen politischen Veranstaltungen war der große Saal des Sportpalastes nur wenig geschmückt. Zwischen den Stuhlreihen befand sich ein Mittelgang, die Rednertribüne war mit Hakenkreuzfahnen geschmückt, dahinter an der Wand das einzige Spruchband: »Totaler Krieg – kürzester Krieg«. Auch das Publikum war in die Planung einbezogen. Die vielen tausend Menschen, die den Saal füllten, sollten nach Goebbels' taktischen Überlegungen einen »Ausschnitt aus dem ganzen deutschen Volk« darstellen. Doch war das »eine Repräsentation des Volkes, die nicht zufällig so versammelt war. Goebbels selbst bezeichnete die Zuhörer mehrfach als ›eingeladen‹. Die Einladungen waren vermutlich, wie bei solchen Anlässen üblich, von den Parteiorganisationen verteilt worden, und zwar nach einem Schlüssel, der sich in Goebbels' Aufzählung widerspiegelte. Lazarette, Wehrmachtsdienststellen, nationalsozialistische Unterorganisationen und Berufsverbände wurden dabei eingeschaltet. Damit war ein Publikum geschaffen, das – auch ohne genaue Direktiven – ein gewisses Maß an Bereitschaft zum ›Mitmachen‹ besaß. [...] Mit dieser Zusammensetzung war die Voraussetzung für einen Propagandaerfolg gegeben« (Moltmann, S. 29).
Der von Goebbels beabsichtigte Propagandaerfolg trat ein, sowohl in Deutschland als auch im Ausland. Daß die Totalisierung des Krieges, so wie Goebbels sie sich vorgestellt hatte, später durch innerparteiliche Querelen ins Stocken geriet, spielte freilich zu diesem Zeitpunkt keine Rolle.

Von der Rede gibt es noch keine textkritische Ausgabe. Die Druckfassungen, die 1943 und 1944 erschienen, sind alle ›bearbeitet‹. Das stellte sich nach dem Krieg heraus, als die Drucke mit einem erhaltenen Tonmitschnitt verglichen wurden. So fehlen z. B. durchweg die besonderen Hinwendungen zum Berliner Publikum (zu anderen Einzelheiten vgl. die Anmerkungen).

Der vorliegende Text folgt im Druckbild der Quelle (s. Quellenverzeichnis am Schluß des Bandes).

Literaturhinweise: Wollt Ihr den totalen Krieg? Die geheimen Goebbels-Konferenzen 1939–1943. Hrsg. von Willi A. Boelcke. München 1969. (dtv 578.) – Moltmann, Günter: Goebbels' Rede zum totalen Krieg am 18. Februar 1943. In: Vierteljahreshefte für Zeitgeschichte 12 (1964) H. 1, S. 13–43.
Auszüge aus dieser Rede befinden sich auf Platte 3 der von Garber und Zmarzlik herausgegebenen Schallplattenreihe und auf der Platte »Goebbels spricht . . .« (s. Literaturverzeichnis).

Meine deutschen Volksgenossen und Volksgenossinnen!
Parteigenossen und Parteigenossinnen!

Es ist jetzt knapp drei Wochen her, daß ich das letzte Mal bei Gelegenheit der Verlesung der Proklamation des Führers[1] zum Zehnjahrestag der Machtergreifung von dieser Stelle aus zu Ihnen und zum deutschen Volke gesprochen habe. Die Krise, in der sich unsere Ostfront augenblicklich befindet, stand damals auf dem Höhepunkt. Wir hatten uns im Zeichen des harten Unglücksschlages, von dem die Nation im Kampf um die Wolga betroffen wurde, am 30. Januar dieses Jahres zusammengefunden zu einer Kundgebung der Einheit, der Geschlossenheit, aber auch der festen Willenskraft, mit den Schwierigkeiten, die dieser Krieg in seinem vierten Jahre vor uns auftürmt, fertig zu werden.
Es war für mich und wohl auch für Sie alle erschütternd, einige Tage später zu vernehmen, daß die letzten heldenhaften Kämpfer von Stalingrad[2], in dieser Stunde durch die Ätherwellen mit uns verbunden, an unserer erhebenden Sportpalastkundgebung teilgenommen haben. Sie funkten in ihrem Schlußbericht, daß sie die Proklamation des Führers

1. Daß die Proklamation von Goebbels verlesen wurde, ist ein Beispiel für die in der Einleitung zu Text 7 angeführte Flucht Hitlers vor Mikrophon und Rednerpult.
2. Am 31. Januar 1943 kapitulierte Generalfeldmarschall Paulus in Stalingrad mit dem Hauptteil der Truppen, am 2. Februar Generaloberst Strecker mit dem Rest; es gingen etwa 90 000 deutsche Soldaten in sowjetische Gefangenschaft.

vernommen und vielleicht zum letzten Male in ihrem Leben mit uns zusammen mit erhobenen Händen die Nationalhymnen gesungen hätten. Welch eine Haltung deutschen Soldatentums in dieser großen Zeit! Welche Verpflichtung aber schließt diese Haltung auch für uns alle, insbesondere für die deutsche Heimat in sich ein! Stalingrad war und ist der große Alarmruf des Schicksals an die deutsche Nation. Ein Volk, das die Stärke besitzt, ein solches Unglück zu ertragen und auch zu überwinden, ja, daraus noch zusätzliche Kraft zu schöpfen, ist unbesiegbar. Das Gedächtnis an die Helden von Stalingrad soll also auch heute bei meiner Rede vor Ihnen und vor dem deutschen Volke eine tiefe Verpflichtung für mich und für uns alle sein.

Ich weiß nicht, wie viele Millionen Menschen, über die Ätherwellen mit uns verbunden, heute abend an der Front und in der Heimat an dieser Kundgebung teilnehmen und meine Zuhörer sind. Ich möchte zu Ihnen allen aus tiefstem Herzen zum tiefsten Herzen sprechen. Ich glaube, das ganze deutsche Volk ist mit heißer Leidenschaft bei der Sache, die ich Ihnen heute abend vorzutragen habe. Ich will deshalb meine Ausführungen auch mit dem ganzen heiligen Ernst und dem offenen Freimut, den die Stunde von uns erfordert, ausstatten. Das im Nationalsozialismus erzogene, geschulte und disziplinierte deutsche Volk kann die volle Wahrheit vertragen. Es weiß, wie ernst es um die Lage des Reiches bestellt ist, und seine Führung kann es deshalb gerade auch auffordern, aus der Bedrängtheit der Situation die nötigen harten, ja auch härtesten Folgerungen zu ziehen.

Wir Deutschen sind gewappnet gegen Schwäche und Anfälligkeit, und Schläge und Unglücksfälle des Krieges verleihen uns nur zusätzliche Kraft, feste Entschlossenheit und eine seelische und kämpferische Aktivität, die bereit ist, alle Schwierigkeiten und Hindernisse mit revolutionärem Elan zu überwinden.

Es ist jetzt nicht der Augenblick, danach zu fragen, wie alles gekommen ist. Das wird einer späteren Rechenschafts-

legung überlassen bleiben, die in voller Offenheit erfolgen soll und dem deutschen Volk und der Weltöffentlichkeit zeigen wird, daß das Unglück, das uns in den letzten Wochen betroffen hat, seine tiefe, schicksalhafte Bedeutung besitzt. Das große Heldenopfer, das unsere Soldaten in Stalingrad brachten, ist für die ganze Ostfront von einer ausschlaggebenden geschichtlichen Bedeutung gewesen. Es war nicht umsonst. Warum, das wird die Zukunft beweisen!
Wenn ich nunmehr über die jüngste Vergangenheit hinaus den Blick wieder nach vorne lenke, so tue ich das mit voller Absicht.

Die Stunde drängt!

Sie läßt keine Zeit mehr offen für fruchtlose Debatten. Wir müssen handeln, und zwar unverzüglich, schnell und gründlich, so wie es seit jeher nationalsozialistische Art gewesen ist.
Von ihrem Anfang an ist die Bewegung in den vielen Krisen, die sie durchzustehen und durchzukämpfen hatte, so verfahren. Und auch der nationalsozialistische Staat hat sich, wenn eine Bedrohung vor ihm auftauchte, ihr mit entschlossener Willenskraft entgegengeworfen. Wir gleichen nicht dem Vogel Strauß, der den Kopf in den Sand steckt, um die Gefahr nicht zu sehen. Wir sind mutig genug, sie unmittelbar ins Auge zu nehmen, sie kühl und rücksichtslos abzumessen und ihr dann erhobenen Hauptes und mit fester Entschlußkraft entgegenzutreten. Erst dann entwickelten wir als Bewegung und als Volk immer auch unsere höchsten Tugenden, nämlich einen wilden und entschlossenen Willen, die Gefahr zu brechen und zu bannen, eine Stärke des Charakters, die alle Hindernisse überwindet, zähe Verbissenheit in der Verfolgung des einmal erkannten Zieles und ein ehernes Herz, das gegen alle inneren und äußeren Anfechtungen gewappnet ist. So soll es auch heute sein. Ich habe die Aufgabe, Ihnen ein ungeschminktes Bild der Lage zu entwerfen und daraus die harten

Konsequenzen für das Handeln der deutschen Führung, aber auch für das Handeln des deutschen Volkes zu ziehen.

Wir durchleben im Osten augenblicklich eine schwere militärische Belastung.[3] Diese Belastung hat zeitweilig größere Ausmaße angenommen und gleicht, wenn nicht in der Art der Anlage, so doch in ihrem Umfang der des vergangenen Winters. Über ihre Ursachen wird später einmal zu sprechen sein. Heute bleibt uns nichts anderes übrig, als ihr Vorhandensein festzustellen und die Mittel und Wege zu überprüfen und anzuwenden bzw. einzuschlagen, die zu ihrer Behebung führen. Es hat deshalb auch gar keinen Zweck, diese Belastung selbst zu bestreiten. Ich bin mir zu gut dazu, Ihnen ein täuschendes Bild der Lage zu geben, das nur zu falschen Folgerungen führen könnte und geeignet wäre, das deutsche Volk in eine Sicherheit seiner Lebensführung und seines Handelns einzuwiegen, die der gegenwärtigen Situation durchaus unangepaßt wäre.

Der Ansturm der Steppe gegen unseren ehrwürdigen Kontinent ist in diesem Winter mit einer Wucht losgebrochen, die alle menschlichen und geschichtlichen Vorstellungen in den Schatten stellt. Die deutsche Wehrmacht bildet dagegen mit ihren Verbündeten den einzigen überhaupt in Frage kommenden Schutzwall. Der Führer hat schon in seiner Proklamation zum 30. Januar mit ernsten und eindringlichen Worten die Frage aufgeworfen, was aus Deutschland und aus Europa geworden wäre, wenn am 30. Januar 1933 statt der nationalsozialistischen Bewegung ein bürgerliches oder ein demokratisches Regime die Macht übernommen hätte! Welche Gefahren wären dann, schneller als wir es damals ahnen konnten, über das Reich hereingebrochen, und welche Abwehrkräfte hätten uns noch zur Verfügung gestanden, um ihnen zu begegnen? Zehn Jahre Nationalsozialismus haben genügt, das deutsche Volk über den Ernst der schicksalhaften Pro-

3. Während diese Rede gehalten wurde, war die Don-Front bereits durchbrochen, das bis zum Kriegsende andauernde stete Zurückweichen der Ostfront hatte begonnen.

blematik, die aus dem östlichen Bolschewismus entspringt, vollkommen aufzuklären. Man wird jetzt auch verstehen, warum wir unsere Nürnberger Parteitage so oft unter das Signum des Kampfes gegen den Bolschewismus gestellt haben. Wir erhoben damals unsere warnende Stimme vor dem deutschen Volk und vor der Weltöffentlichkeit, um die von einer Willens- und Geisteslähmung ohnegleichen befallene abendländische Menschheit zum Erwachen zu bringen und ihr die Augen zu öffnen für die grauenerregenden geschichtlichen Gefahren, die aus dem Vorhandensein des östlichen Bolschewismus erwachsen, der ein Volk von fast 200 Millionen dem jüdischen Terror dienstbar gemacht hatte und es zum Angriffskrieg gegen Europa vorbereitete.
Als der Führer die deutsche Wehrmacht am 22. Juni 1941 im Osten zum Angriff antreten ließ, waren wir uns alle im klaren darüber, daß damit überhaupt der entscheidende Kampf dieses gigantischen Weltringens anbrach. Wir wußten, welche Gefahren und Schwierigkeiten er für uns mit sich bringen würde. Wir waren uns aber auch klar darüber, daß die Gefahren und Schwierigkeiten bei längerem Zuwarten nur wachsen, niemals aber abnehmen könnten.

Es war zwei Minuten vor zwölf!

Ein weiteres Zögern hätte leicht zur Vernichtung des Reiches und zur vollkommenen Bolschewisierung des europäischen Kontinents geführt.
Es ist verständlich, daß wir bei den groß angelegten Tarnungs- und Bluffmanövern des bolschewistischen Regimes das Kriegspotential der Sowjetunion nicht richtig eingeschätzt haben. Erst jetzt offenbart es sich uns in seiner ganzen wilden Größe. Dementsprechend ist auch *der Kampf, den unsere Soldaten im Osten zu bestehen haben, über alle menschlichen Vorstellungen hinaus hart, schwer und gefährlich.* Er erfordert die Aufbietung unserer ganzen nationalen Kraft. Hier ist eine Bedrohung des Reiches und des europäischen Kontinents gegeben, die alle bisherigen Gefah-

ren des Abendlandes weit in den Schatten stellt. Würden wir in diesem Kampf versagen, so verspielten wir damit überhaupt unsere geschichtliche Mission. Alles, was wir bisher aufgebaut und geleistet haben, verblaßt angesichts der gigantischen Aufgabe, die hier der deutschen Wehrmacht unmittelbar und dem deutschen Volke mittelbar gestellt ist.
Ich wende mich in meinen Ausführungen zuerst an die Weltöffentlichkeit und proklamiere ihr gegenüber drei Thesen unseres Kampfes gegen die bolschewistische Gefahr im Osten.
Die erste dieser Thesen lautet: Wäre die deutsche Wehrmacht nicht in der Lage, die Gefahr aus dem Osten zu brechen, so wäre damit das Reich und in kurzer Folge ganz Europa dem Bolschewismus verfallen.
Die zweite dieser Thesen lautet: Die deutsche Wehrmacht und das deutsche Volk allein besitzen mit ihren Verbündeten die Kraft, eine grundlegende Rettung Europas aus dieser Bedrohung durchzuführen.
Die dritte dieser Thesen lautet: Gefahr ist im Verzuge. Es muß schnell und gründlich gehandelt werden, sonst ist es zu spät.
Zur ersten These habe ich im einzelnen zu bemerken: der Bolschewismus hat seit jeher ganz offen das Ziel proklamiert, nicht nur Europa, sondern die ganze Welt zu revolutionieren und sie in ein bolschewistisches Chaos zu stürzen. Dieses Ziel ist seit Beginn der bolschewistischen Sowjetunion seitens des Kreml ideologisch vertreten und praktisch verfochten worden. Es ist klar, daß Stalin und die anderen Sowjetgrößen, je mehr sie glauben, sich der Verwirklichung ihrer weltzerstörerischen Absichten zu nähern, um so mehr auch bestrebt sind, diese zu tarnen und zu verschleiern. Das kann uns nicht beirren. Wir gehören nicht zu jenen furchtsamen Gemütern, die wie das hypnotisierte Kaninchen auf die Schlange schauen, bis sie es verschlingt. Wir wollen die Gefahr rechtzeitig erkennen und ihr auch rechtzeitig mit wirksamen Mitteln entgegentreten. Wir durchschauen nicht nur die Ideologie, sondern auch die Prak-

tiken des Bolschewismus, denn wir haben uns schon einmal mit ihnen, und zwar mit denkbar größtem Erfolg, auf innerpolitischem Felde auseinandergesetzt. Uns kann der Kreml nichts vormachen. Wir haben in einem vierzehnjährigen Kampf vor der Machtübernahme und in einem zehnjährigen Kampf nach der Machtübernahme seine Absichten und infamen Weltbetrugsmanöver demaskiert.

Das Ziel des Bolschewismus ist die Weltrevolution der Juden!

Sie wollen das Chaos über das Reich und über Europa hereinführen, um in der daraus entstehenden Hoffnungslosigkeit und Verzweiflung der Völker ihre internationale, bolschewistisch verschleierte kapitalistische Tyrannei aufzurichten. (Die Menge gibt ihrer Entrüstung durch laute Pfui-Rufe Ausdruck.)

Was das für das deutsche Volk bedeuten würde, braucht nicht näher erläutert zu werden. Es würde mit der Bolschewisierung des Reiches eine Liquidierung unserer gesamten Intelligenz- und Führerschicht und als Folge davon die Überführung der arbeitenden Massen in die bolschewistisch-jüdische Sklaverei nach sich ziehen. Man sucht in Moskau Zwangsarbeitsbataillone, wie der Führer in seiner Proklamation zum 30. Januar schon sagte, für die sibirischen Tundren. Der Aufstand der Steppe macht sich vor unseren Fronten bereit, und der Ansturm des Ostens, der in täglich sich steigernder Stärke gegen unsere Linien anbrandet, ist nichts anderes als die versuchte Wiederholung der geschichtlichen Verheerungen, die früher schon so oft unseren Erdteil gefährdet haben.

Damit aber ist auch eine unmittelbare akute Lebensbedrohung für alle europäischen Mächte gegeben. Man soll nicht glauben, daß der Bolschewismus, hätte er die Gelegenheit, seinen Siegeszug über das Reich anzutreten, irgendwo an unseren Grenzen haltmachen würde. Er treibt eine Aggressionspolitik und Aggressionskriegführung, die ausgesprochen auf die Bolschewisierung aller Länder und Völker ausgeht. [...]

Die europäischen Mächte stehen hier vor ihrer entscheidenden Lebensfrage. Das Abendland ist in Gefahr. Ob ihre Regierungen und ihre Intelligenzschichten das einsehen wollen oder nicht, ist dabei gänzlich unerheblich.
Das deutsche Volk jedenfalls ist nicht gewillt, sich dieser Gefahr auch nur versuchsweise preiszugeben. Hinter den anstürmenden Sowjetdivisionen sehen wir schon die jüdischen Liquidationskommandos, hinter diesen aber erhebt sich der Terror, das Gespenst des Millionenhungers und einer vollkommenen Anarchie. Hier erweist sich wiederum das internationale Judentum als das teuflische Ferment der Dekomposition, das eine geradezu zynische Genugtuung dabei empfindet, die Welt in ihre tiefste Unordnung zu stürzen und damit den Untergang jahrtausendealter Kulturen, an denen es niemals einen inneren Anteil hatte, herbeizuführen. Wir wissen damit also, vor welcher geschichtlichen Aufgabe wir stehen. Eine zweitausendjährige Aufbauarbeit der abendländischen Menschheit ist in Gefahr. Man kann diese Gefahr gar nicht ernst genug schildern, aber es ist auch bezeichnend, daß, wenn man sie nur beim Namen nennt, das internationale Judentum in allen Ländern dagegen mit lärmenden Ausführungen Protest erhebt. So weit also ist es in Europa schon gekommen, daß man eine Gefahr nicht mehr eine Gefahr nennen darf, wenn sie eben vom Judentum ausgeht. Das aber hindert uns nicht daran, die dazu notwendigen Feststellungen zu treffen.
Wir haben niemals Angst vor den Juden gehabt und haben sie heute weniger denn je. (Aus der Versammlung wird spontan in stürmischen Rufen die Forderung laut: »Juden raus!«) [...]
Meine zweite These lautet: Allein das Deutsche Reich mit seinen Verbündeten ist in der Lage, die eben geschilderte Gefahr zu bannen. Die europäischen Staaten einschließlich Englands behaupten, stark genug zu sein, einer Bolschewisierung des europäischen Kontinents, sollte sie einmal praktisch gegeben sein, rechtzeitig und wirksam entgegen-

zutreten. Diese Erklärung ist kindisch und verdient überhaupt keine Widerlegung.
Sollte die stärkste Militärmacht der Welt nicht in der Lage sein, die Drohung des Bolschewismus zu brechen, wer brächte dann noch die Kraft dazu auf? (Stürmische Rufe aus der Menge: »Niemand!«)
Die neutralen europäischen Staaten besitzen weder das Potential noch die militärischen Machtmittel noch die geistige Einstellung ihrer Völker, um dem Bolschewismus auch nur den geringsten Widerstand entgegenzusetzen. Sie würden im Bedarfsfall von seinen motorisierten Roboterdivisionen in wenigen Tagen überfahren werden. In den Hauptstädten der mittleren und kleinen europäischen Staaten tröstet man sich mit der Absicht, man müsse sich gegen die bolschewistische Gefahr seelisch rüsten. (Heiterkeit.) Das erinnert verzweifelt an die Erklärungen der Mittelparteien aus dem Jahre 1932, daß der Kampf gegen den Kommunismus nur mit geistigen Waffen ausgefochten und gewonnen werden könne. Diese Behauptung war uns auch damals zu albern, als daß wir uns damit auseinandergesetzt hätten. Der östliche Bolschewismus ist nicht nur eine terroristische Lehre, sondern auch eine terroristische Praxis. Er verfolgt seine Ziele und Zwecke mit einer infernalischen Gründlichkeit, unter restloser Ausschöpfung seines inneren Potentials und ohne jede Rücksichtnahme auf Glück, Wohlstand und Frieden der von ihm unterjochten Völkerschaften.
Was wollten England und Amerika tun, wenn der europäische Kontinent im gröbsten Unglücksfall dem Bolschewismus in die Arme fiele? Will man Europa von London aus vielleicht einreden, daß eine solche Entwicklung an der Kanalgrenze haltmachen würde? Ich habe schon einmal darauf hingewiesen, daß der Bolschewismus seine Fremdenlegionen auf dem Boden aller demokratischen Staaten bereits in den kommunistischen Parteien stehen hat. Keiner dieser Staaten kann von sich behaupten, gegen eine innere Bolschewisierung immun zu sein. Eine jüngst vorgenommene

Nachwahl zum englischen Unterhaus ergab, daß der unabhängige, d. h. kommunistische Kandidat in einem Wahlkreis, der bisher unumschränkte Domäne der Konservativen war, von insgesamt 22 371 Stimmen 10 741 erhielt, das heißt, daß die Rechtsparteien allein in diesem einen Kreise im Verlaufe von nur kurzer Zeit rund 10 000, also die Hälfte aller Wählerstimmen an die Kommunisten verloren, ein Beweis mehr dafür, daß die bolschewistische Gefahr auch in England gegeben ist und daß sie nicht dadurch gebannt wird, daß man sie nicht sehen will. Alle territorialen Verpflichtungen, die die Sowjetunion auf sich nimmt, besitzen in unseren Augen keinen effektiven Wert. Der Bolschewismus pflegt seine Grenzen auch ideologisch und nicht nur militärisch zu ziehen, und darin ist eben seine über die Grenzen der Völker hinwegspringende Gefahr gegeben. Die Welt hat also nicht die Wahl zwischen einem in seine alte Zersplitterung zurückfallenden und einem unter der Achsenführung sich neu ordnenden Europa, sondern nur die zwischen einem unter dem militärischen Schutz der Achse stehenden und einem bolschewistischen Europa. [...]
Ich schmeichle mir nicht, mit diesen Ausführungen die öffentliche Meinung in den neutralen oder gar in den feindlichen Staaten alarmieren zu können. Das ist auch nicht ihr Zweck und ihre Absicht. Ich weiß, daß die englische Presse morgen mit einem wütenden Gekläff über mich herfallen wird, ich hätte angesichts unserer Belastung an der Ostfront die ersten Friedensfühler ausgestreckt. (Stürmisches Gelächter.) Davon kann überhaupt keine Rede sein.

In Deutschland denkt heute kein Mensch an einen faulen Kompromiß, das ganze Volk denkt nur an einen harten Krieg

Ich beanspruche aber als ein verantwortlicher Sprecher des führenden Landes dieses Kontinents für mich das souveräne Recht, eine Gefahr eine Gefahr zu nennen, wenn sie nicht nur unser eigenes Land, sondern unseren ganzen Erdteil bedroht. Als Nationalsozialisten haben wir die Pflicht, Alarm zu schlagen gegen die versuchte Chaotisierung des europäischen Kontinents durch das internationale Judentum, das sich im Bolschewismus eine terroristische Militärmacht aufgebaut hat, deren Bedrohlichkeit überhaupt nicht überschätzt werden kann.

Die *dritte* These, die ich hier näher erläutern will, ist die, daß *Gefahr unmittelbar im Verzuge* ist. Die Lähmungserscheinungen der westeuropäischen Demokratien gegen ihre tödlichste Bedrohung sind herzbeklemmend. *Das internationale Judentum fördert sie mit allen Kräften.* Genau so, wie der Widerstand gegen den Kommunismus in unserem Kampf um die Macht in unserem eigenen Lande von den jüdischen Zeitungen künstlich eingeschläfert und nur durch den Nationalsozialismus wieder erweckt wurde, genau so ist das heute bei den anderen Völkern der Fall. Das Judentum erweist sich hier wieder einmal als die Inkarnation des Bösen, als plastischer Dämon des Verfalls und als Träger eines internationalen kulturzerstörenden Chaos.

Man wird, um das hier nur zu erwähnen, in diesem Zusammenhang auch unsere konsequente Judenpolitik verstehen können.

Wir sehen im Judentum für jedes Land eine unmittelbare Gefahr gegeben. Wie andere Völker sich gegen diese Gefahr zur Wehr setzen, ist uns gleichgültig. Wie wir uns aber dagegen zur Wehr setzen, das ist *unsere eigene Sache*, in die wir keinerlei Einsprüche dulden.

Das Judentum stellt eine infektiöse Erscheinung dar, die ansteckend wirkt. Wenn das feindliche Ausland gegen unsere antijüdische Politik scheinheilig Protest einlegt und über unsere Maßnahmen gegen das Judentum heuchlerische Krokodilstränen vergießt, so kann uns das nicht daran hindern, das Notwendige zu tun. Deutschland jedenfalls hat nicht die Absicht, sich dieser Bedrohung zu beugen, sondern vielmehr die, ihr rechtzeitig und wenn nötig mit den radikalsten Gegenmaßnahmen entgegenzutreten. (Minutenlang ist der Minister durch laute Sprechchöre am Weiterreden gehindert.)

Im Zeichen all dieser Überlegungen steht die militärische Belastung des Reiches im Osten. Der Krieg der mechanisierten Roboter gegen Deutschland und gegen Europa ist auf seinen Höhepunkt gestiegen. Das deutsche Volk erfüllt mit seinen Achsenpartnern im wahrsten Sinne des Wortes eine europäische Mission, wenn es dieser unmittelbaren und ernsten Lebensbedrohung mit den Waffen entgegentritt. Wir lassen uns nicht durch das Geschrei des internationalen Judentums in aller Welt in der mutigen und aufrechten Fortführung des gigantischen Kampfes gegen diese Weltpest beirren. Er kann und darf nur mit Sieg enden. (Laute Zwischenrufe ertönen: »Deutsche Männer ans Gewehr«, »deutsche Frauen an die Arbeit!«)

Das Ringen um Stalingrad wurde in seiner tragischen Verwicklung geradezu zu einem Symbol dieses heroischen, männlichen Widerstandes gegen den Aufruhr der Steppe. Es hatte deshalb nicht nur eine militärische, sondern auch eine *geistige und seelische Bedeutung für das deutsche Volk von tiefstgreifender Wirkung.* Erst hier sind unsere Augen für die aus diesem Kriege erwachsende Problematik vollkommen geöffnet worden. Wir wollen jetzt gar nichts mehr von falschen Hoffnungen und Illusionen hören. Wir wollen den Tatsachen, und wenn sie noch so hart und grausam sind, mutig in die Augen schauen. Denn jedesmal noch hat es sich in der Geschichte unserer Partei und unseres Staates erwiesen, daß *eine erkannte Gefahr bald schon auch eine gebannte* Gefahr ist. Im Zeichen dieses heroischen Widerstandes stehen unsere weiteren schwersten Abwehrkämpfe im Osten. Sie beanspruchen unsere Soldaten und ihre Waffen in einem Umfange, der uns bei allen bisherigen Feldzügen vollkommen unbekannt gewesen ist. Im Osten tobt ein Krieg ohne Gnade. Der Führer hat ihn richtig charakterisiert, als er erklärte, es werden aus ihm nicht Sieger und Besiegte, sondern nur noch Überlebende und Vernichtete hervorgehen.

Das deutsche Volk hat das ganz klar erkannt. Mit seinem

gesunden Instinkt hat es sich auf eigene Weise einen Weg durch das Gestrüpp der tagesaktuell bedingten geistigen und seelischen Schwierigkeiten dieses Krieges gebahnt. Wir wissen heute genau, daß der Blitzkrieg des Polen- und Westfeldzuges für den Osten nur noch eine bedingte Gültigkeit hat. Hier kämpft die deutsche Nation um ihr Alles. Wir sind in diesem Kampf zu der Erkenntnis gekommen, daß das deutsche Volk hier seine heiligsten Güter, seine Familien, seine Frauen und seine Kinder, die Schönheit und Unberührtheit seiner Landschaft, seine Städte und Dörfer, das zweitausendjährige Erbe seiner Kultur und alles, was uns das Leben lebenswert macht, zu verteidigen hat. [...]
Ich gebe meiner festen Überzeugung Ausdruck, daß wir die bolschewistische Gefahr auf die Dauer nur niederringen können, wenn wir ihr, wenn auch nicht mit gleichen, so doch mit gleichwertigen Methoden entgegentreten. Die deutsche Nation steht damit vor der ernstesten Frage dieses Krieges, nämlich der, die Entschlossenheit aufzubringen, alles einzusetzen, um alles, was sie zum späteren Leben nötig hat, dazuzugewinnen. Es geht also nicht mehr darum, heute einen hohen Lebensstandard auf Kosten unserer Verteidigungskraft gegen den Osten aufrechtzuerhalten, es geht vielmehr darum, unsere Verteidigungskraft zu stärken auf Kosten eines nicht mehr zeitgemäßen hohen Lebensstandards. Das hat durchaus nichts mit Nachahmung bolschewistischer Methoden zu tun. Wir haben auch früher im Kampf gegen die Kommunistische Partei andere Methoden angewandt, als wir sie gegen die bürgerlichen Parteien anwandten. Denn hier trat uns ein Gegner gegenüber, der anders angefaßt werden mußte, wenn man mit ihm fertig werden wollte. Er bediente sich des Terrors, um die nationalsozialistische Bewegung niederzuschlagen. Terror aber wird nicht mit geistigen Argumenten, sondern nur mit Gegenterror gebrochen.
Die geistige Bedrohung, die der Bolschewismus darstellt, ist bekannt; sie wird auch im neutralen Ausland nicht bestritten. Über die geistige Bedrohung hinaus aber stellt er nun

für uns und Europa eine unmittelbare militärische Bedrohung dar. Ihr nur mit geistigen Argumenten entgegentreten zu wollen, würde bei den Kreml-Gewaltigen wahrscheinlich stürmische Heiterkeit auslösen. Wir sind nicht so dumm und kurzsichtig, den Kampf gegen den Bolschewismus mit derartig unzulänglichen Mitteln auch nur zu versuchen. Wir wollen auch nicht auf uns das Wort angewandt sehen, daß nur die allergrößten Kälber sich ihre Metzger selber wählen. Wir sind entschlossen, unser Leben mit allen Mitteln zu verteidigen, ohne Rücksicht darauf, ob die uns umgebende Welt die Notwendigkeit dieses Kampfes einsieht oder nicht.

Der totale Krieg ist also das Gebot der Stunde

Es muß jetzt zu Ende sein mit den bürgerlichen Zimperlichkeiten, die auch in diesem Schicksalskampf nach dem Grundsatz verfahren wollen: Wasch mir den Pelz, aber mach mich nicht naß! (Jeder Satz des Ministers wird von wachsendem Beifall und stärkster Zustimmung begleitet.) Die Gefahr, vor der wir stehen, ist riesengroß. Riesengroß müssen deshalb auch die Anstrengungen sein, mit denen wir ihr entgegentreten. Es ist also jetzt die Stunde gekommen, die Glacéhandschuhe auszuziehen und die Faust zu bandagieren. (Wie ein einziger Schrei erhebt sich ein orkanartiger Beifall. Sprechchöre von den Galerien und Rängen bestätigen die volle Zustimmung der Menge.)
Es geht nicht mehr an, das Kriegspotential nicht nur unseres eigenen Landes, sondern der uns zur Verfügung stehenden bedeutenden Teile Europas nur flüchtig und an der Oberfläche auszuschöpfen. Es muß ganz zur Ausschöpfung gelangen, und zwar so schnell und so gründlich, als das organisatorisch und sachlich überhaupt nur denkbar ist. Hier wäre eine falsche Rücksichtnahme ganz fehl am Platze. Europas Zukunft hängt von unserem Kampf im Osten ab. Wir stehen zu seinem Schutze bereit. Das deutsche Volk stellt sein kostbarstes nationales Blut für diesen Kampf zur Verfügung. Der übrige Teil Europas sollte hierfür wenig-

stens seine Arbeit zur Verfügung stellen. Wer diesen Kampf im übrigen Europa heute noch nicht versteht, wird uns morgen auf den Knien danken, daß wir ihn mutig und unbeirrt auf uns genommen haben.
Es ärgert uns nicht einmal, wenn unsere Feinde im Ausland behaupten, die Maßnahmen, die wir jetzt zur Totalisierung des Krieges durchführten, kämen denen des Bolschewismus ziemlich nahe. Scheinheilig erklären sie, daraus müsse man also folgern, daß sich unter diesen Umständen der Kampf gegen den Bolschewismus überhaupt erübrige.
Es geht hier nicht um die Methode, mit der man den Bolschewismus zu Boden schlägt, sondern um das Ziel, nämlich um die Beseitigung der Gefahr. (Minutenlanger Beifall.)
Die Frage ist also nicht die, ob die Methoden, die wir anwenden, gut oder schlecht sind, sondern ob sie zum Erfolge führen. Jedenfalls sind wir als nationalsozialistische Volksführung jetzt zu allem entschlossen. Wir packen zu, ohne Rücksicht auf die Einsprüche des einen oder des anderen. (Zurufe: »Sofort!«)
Wir wollen nicht im Interesse der Aufrechterhaltung eines hohen, manchmal fast friedensmäßigen inneren Lebensstandards für eine bestimmte Volksschicht das deutsche Kriegspotential schwächen und damit unsere Kriegführung gefährden. Im Gegenteil, wir verzichten freiwillig auf einen bedeutenden Teil dieses Lebensstandards, um das Kriegspotential so schnell und so gründlich wie möglich zu erhöhen.
Im übrigen herrscht darüber, wie mir aus ungezählten Briefen aus der Heimat und Zustimmungskundgebungen von der Front mitgeteilt wird, im ganzen deutschen Volke überhaupt nur eine Meinung. Jedermann weiß, daß dieser Krieg, wenn wir ihn verlören, uns alle vernichten würde. Und darum ist das Volk mit seiner Führung entschlossen, nunmehr zur radikalsten Selbsthilfe zu greifen. Die breiten arbeitenden Massen unseres Volkes machen der Regierung nicht zum Vorwurf, daß sie zu rücksichtslos, sondern höchstens, daß sie zu rücksichts-

voll vorgeht. Man frage landauf, landab das deutsche Volk, man wird überall nur die eine Antwort erhalten: Das Radikalste ist heute eben radikal, und das Totalste ist heute eben total genug, um den Sieg zu erringen. Darum ist die totale Kriegführung eine Sache des ganzen deutschen Volkes. Niemand kann sich auch nur mit einem Schein von Berechtigung an ihren Forderungen vorbeidrücken. [...]
Die Voraussetzung dazu aber ist selbstverständlich die, daß die Lasten gerecht verteilt werden. (Lauteste Zustimmung.) Es darf nicht geduldet werden, daß der weitaus größte Teil des Volkes die ganze Bürde des Krieges trägt, und ein kleiner passiver Teil sich an den Lasten und an der Verantwortung des Krieges vorbeizudrücken versucht. Die Maßnahmen, die wir getroffen haben und noch treffen müssen, werden deshalb vom Geiste einer nationalsozialistischen Gerechtigkeit erfüllt sein.

Wir nehmen keine Rücksicht auf Stand und Beruf!

Arm und reich und hoch und niedrig müssen in gleicher Weise beansprucht werden. Jedermann wird in dieser ernstesten Phase unseres Schicksalskampfes zur Erfüllung seiner Pflicht der Nation gegenüber angehalten, wenn nötig, gezwungen werden. Wir wissen uns dabei in voller Übereinstimmung mit dem nationalen Willen unseres Volkes. Wir wollen lieber zuviel als zu wenig Kraft zur Erringung des Sieges anwenden. Noch niemals ist ein Krieg in der Geschichte der Völker verlorengegangen, weil die Führung zuviel Soldaten und Waffen hatte. Sehr viele aber gingen verloren, weil das Umgekehrte der Fall war.
Ich habe schon der Öffentlichkeit erklärt, daß die kriegsentscheidende Aufgabe der Gegenwart darin besteht, dem Führer durch einschneidendste Maßnahmen in der Heimat eine operative Reserve bereitzustellen, die ihm die Möglichkeit gibt,
im kommenden Frühjahr und Sommer die Offensive aufs neue aufzunehmen (die nächsten Worte gehen in einem nicht endenwollenden Beifall unter)

und den Versuch zu machen, dem sowjetischen Bolschewismus den entscheidenden Schlag zu versetzen. Je mehr wir dem Führer an Kraft in die Hand geben, um so vernichtender wird dieser Schlag sein. [...]
Es ist also an der Zeit, den Säumigen Beine zu machen. (Stürmische Bravorufe.) Sie müssen aus ihrer bequemen Ruhe aufgerüttelt werden. Wir können nicht warten, bis sie von selbst zur Besinnung kommen und es dann vielleicht zu spät ist. Es muß wie ein

Alarmruf durch das ganze Volk

gehen. Eine Arbeit von Millionen Händen hat einzusetzen, und zwar landauf, landab. Die Maßnahmen, die wir bereits getroffen haben und noch treffen müssen und die ich im weiteren Teil meiner Ausführungen des näheren erläutern werde, sind einschneidend für das gesamte private und öffentliche Leben. Die Opfer, die der einzelne Bürger dabei zu bringen hat, sind manchmal schwer; aber sie bedeuten nur wenig den Opfern gegenüber, die er bringen müßte, wenn er sich zu diesen Opfern weigerte und damit das größte nationale Unglück über unser Volk heraufbeschwörte. Es ist besser, zur rechten Zeit einen Schnitt zu tun, als zuzuwarten und die Krankheit sich erst richtig festsetzen zu lassen. Man darf aber dem Operateur, der den Schnitt tut, nicht in den Arm fallen oder ihn gar wegen Körperverletzung anklagen. Er schneidet nicht, um zu töten, sondern um das Leben des Patienten *zu retten*.
Wiederum muß ich hier betonen, daß, je schwerer die Opfer sind, die das deutsche Volk zu bringen hat, um so dringender die Forderung erhoben werden muß, daß sie *gerecht* verteilt werden. Das will auch das Volk. Niemand sträubt sich heute gegen die Übernahme von auch schwersten Kriegslasten. Aber es muß natürlich auf jeden aufreizend wirken, wenn gewisse Leute immer wieder versuchen, sich an den Lasten überhaupt vorbeizudrücken. Die nationalsozialistische Staatsführung hat die moralische, aber auch staatspolitische Pflicht, solchen Versuchen mannhaft, wenn nötig mit dra-

konischen Strafen entgegenzutreten. (Zustimmung.) Schonung wäre hier vollkommen fehl am Platze und würde allmählich zu einer Verwirrung der Gefühle und Ansichten unseres Volkes führen, die eine schwere Gefährdung unserer öffentlichen Kriegsmoral nach sich ziehen müßte.
Wir sind somit auch gezwungen, eine Reihe von Maßnahmen zu treffen, die zwar für die Kriegführung an sich nicht von lebenswichtiger Bedeutung sind, die aber für die Aufrechterhaltung der Kriegsmoral in der Heimat und an der Front erforderlich erscheinen. Auch die Optik des Krieges, d. h. das äußere Bild der Kriegführung, ist im vierten Kriegsjahr von ausschlaggebender Wichtigkeit.
Die Front hat angesichts der übermenschlichen Opfer, die sie täglich zu bringen hat, ein elementares Anrecht darauf, daß auch nicht ein einziger in der Heimat das Recht für sich in Anspruch nimmt, am Kriege und seinen Pflichten vorbeizuleben. Aber nicht nur die Front fordert das, sondern auch der weitaus überwiegende anständige Teil der Heimat. (Stürmischer Beifall.) Die Fleißigen besitzen einen Anspruch darauf, daß, wenn sie zehn und zwölf und manchmal vierzehn Stunden täglich arbeiten, sich direkt neben ihnen nicht die Faulenzer räkeln und gar noch die anderen für dumm und nicht raffiniert genug halten. Die Heimat muß in ihrer Gesamtheit sauber und intakt bleiben. Nichts darf ihr kriegsmäßiges Bild trüben.
Es sind deshalb eine Reihe von Maßnahmen getroffen worden, die dieser neuen Optik des Krieges Rechnung tragen. Wir haben beispielsweise die Schließung der Bars und Nachtlokale angeordnet. Ich kann mir nicht vorstellen, daß es heute noch Menschen gibt, die ihre Kriegspflichten voll erfüllen und gleichzeitig bis tief in die Nacht in Amüsierlokalen herumsitzen. Ich muß daraus nur folgern, da sie es mit ihren Kriegspflichten nicht allzu genau nehmen. Wir haben diese Amüsierlokale geschlossen, weil sie anfingen, uns lästig zu fallen und das Bild des Krieges trübten. Wir verfolgen damit durchaus keine muckerischen Ziele. Nach dem Kriege wollen wir gern wieder nach dem Grund-

satz verfahren: Leben und leben lassen. Während des Krieges aber gilt der Grundsatz: Kämpfen und kämpfen lassen!
Auch Luxusrestaurants, deren Aufwand in keinem Verhältnis zum erzielten Effekt steht, sind der Schließung verfallen. Es mag sein, daß der eine oder der andere auch während des Krieges noch in der Pflege des Magens seine Hauptaufgabe sieht. Auf ihn können wir dabei keine Rücksicht nehmen. Wenn an der Front unsere kämpfenden Truppen vom Grenadier bis zum Generalfeldmarschall aus der Feldküche essen, so glaube ich, ist es nicht zuviel verlangt, wenn wir in der Heimat jeden zwingen, wenigstens auf die elementarsten Gebote des Gemeinschaftsdenkens Rücksicht zu nehmen. Feinschmecker wollen wir wieder nach dem Kriege werden. Heute haben wir Wichtigeres zu tun, als den Magen zu pflegen. Auch ungezählte Luxus- und Repräsentationsgeschäfte sind mittlerweile zur Auflösung gekommen. Sie waren für das kaufende Publikum vielfach ein ständiger Stein des Anstoßes. Zu kaufen gab es dort praktisch kaum noch etwas, höchstens einmal, wenn man hier und da statt mit Geld, mit Butter oder mit Eiern bezahlte. Was haben Geschäfte für einen Zweck, die keine Waren mehr verkaufen und nur elektrisches Licht, Heizung und menschliche Arbeitskraft verbrauchen, die uns anderswo, vor allem in der Rüstungsproduktion, an allen Ecken und Enden fehlen.
Man wende hier nicht ein, die Aufrechterhaltung eines holden Friedensscheines imponiere dem Auslande.

Dem Ausland imponiert nur ein deutscher Sieg!

(Stürmische Zustimmung.)

Wenn wir gesiegt haben, wird jedermann unser Freund sein wollen. Würden wir aber einmal unterliegen, so könnten wir unsere Freunde an den Fingern einer Hand abzählen. Wir haben deshalb mit diesen falschen Illusionen, die das Kriegsbild verwischen, Schluß gemacht. Wir werden die Menschen, die dort untätig in den leeren Geschäften herumstanden, einer nutzbringenderen Tätigkeit in der öffentlichen Kriegswirtschaft zuführen. Dieser Prozeß ist eben im Gange und wird *bis zum 15. März abgeschlossen* sein. Er stellt natürlich eine riesige Umorganisation unseres ganzen wirtschaftlichen Lebens dar. Wir gehen dabei nicht planlos vor. Wir wollen auch niemanden zu Unrecht anklagen oder Tadel und Vorwurf nach allen Seiten verteilen. Wir tun lediglich das, was notwendig ist. Das aber tun wir schnell und gründlich.

Wir wollen lieber ein paar Jahr geflickte Kleider tragen, als einen Zustand heraufbeschwören, in dem unser Volk ein paar Jahrhunderte in Lumpen herumlaufen müßte. *Was sollen heute noch Modesalons*, die Licht, Heizung und menschliche Arbeitskraft verbrauchen. Sie werden nach dem Kriege, wenn wir wieder Zeit und Lust dazu haben, neu erstehen. Was sollen *Frisiersalons*, in denen ein Schönheitskult gepflegt wird, der ungeheuer viel Zeit und Arbeitskraft beansprucht, der für den Frieden zwar sehr schön und angenehm, für den Krieg aber überflüssig ist. Unsere Frauen und Mädchen werden einmal unseren siegreich heimkehrenden Soldaten auch ohne friedensmäßige Aufmachung gefallen. (Beifall.) [. . .]

Die Regierung tut andererseits alles, um dem arbeitenden Volke in dieser schweren Zeit die nötigen Entspannungsmöglichkeiten zu erhalten. Theater, Kinos, Musiksäle bleiben voll im Betrieb. Der Rundfunk wird bestrebt sein, sein Programm noch zu erweitern und zu vervollkommnen. Wir haben durchaus nicht die Absicht, über unser Volk eine graue Winterstimmung heraufzubeschwören. Was dem Volke dient, was seine Kampf- und Arbeitskraft erhält, stählt und vermehrt, das ist gut und kriegswichtig. Das Gegenteil ist abzuschaffen. Ich habe deshalb als Ausgleich gegen die eben geschilderten Maßnahmen angeordnet, daß die *geistigen und seelischen Erholungsstätten* des Volkes nicht vermindert, sondern *vermehrt* werden. Soweit sie unseren Kriegsanstrengungen nicht schaden, sondern sie fördern, müssen sie auch von seiten der Staats- und Volksführung eine entsprechende Förderung erfahren. [. . .]

Die Zeit, die wir heute durchleben, hat in ihrer ganzen Anlage für jeden echten Nationalsozialisten eine verblüffende Ähnlichkeit mit der Kampfzeit[4]. Da und immer haben wir so gehandelt. Wir sind immer mit dem Volke durch dick und dünn gegangen, und darum ist das Volk uns auch auf allen Wegen gefolgt. Wir haben immer mit dem Volke gemeinsam alle Lasten getragen, und deshalb schienen uns die Lasten nicht schwer, sondern leicht zu sein. Das Volk will geführt werden. Noch niemals gab es in der Geschichte ein Beispiel dafür, daß in einer kritischen Stunde des nationalen Lebens das Volk einer tapferen und entschlossenen Führung die Gefolgschaft versagt hätte.
Ich möchte in diesem Zusammenhang auch über einige praktische Maßnahmen des totalen Krieges, die wir bereits getroffen haben, ein paar Worte verlieren.
Das Problem, um das es sich dabei handelt, heißt: Freimachung von Soldaten für die Front, Freimachung von Arbeitern und Arbeiterinnen für die Rüstungswirtschaft. Diesen beiden Zielen müssen alle anderen Bedürfnisse untergeordnet werden, selbst auf Kosten unseres sozialen Lebensniveaus während des Krieges. Das soll nicht eine endgültige Stabilisierung unseres Lebensstandards darstellen, sondern gilt nur als Mittel zur Erreichung des Zweckes, nämlich des eines totalen Sieges.
Es müssen im Rahmen dieser Aktion Hunderttausende von Uk.-Stellungen in der Heimat aufgehoben werden. Diese Uk.-Stellungen waren bisher notwendig, weil wir nicht ausreichend Fach- und Schlüsselkräfte zur Verfügung hatten, die die durch Aufhebung der Uk.-Stellungen leer werdenden Plätze besetzen konnten. Es ist der Sinn der getroffenen und noch zu treffenden Maßnahmen, die dafür benötigten Arbeitskräfte zu mobilisieren. Darum geht unser Appell an die noch außerhalb der Kriegswirtschaft stehenden Männer und die bisher noch außerhalb des Arbeitsprozesses stehenden Frauen. Sie wer-

4. die Zeit bis zur Machtergreifung 1933.

den sich diesem Appell nicht versagen wollen und auch nicht versagen können. Die Arbeitspflicht für Frauen ist sehr weitschichtig gefaßt worden. Das heißt aber nicht, daß nur diejenigen, die im Gesetz genannt worden sind, arbeiten dürfen. Jeder ist uns willkommen, und je mehr sich für den großen Umschichtungsprozeß in der inneren Wirtschaft zur Verfügung stellen, um so mehr Soldaten können wir für die Front freimachen.
Unsere Feinde behaupten, die deutschen Frauen seien nicht in der Lage, den Mann in der Kriegswirtschaft zu ersetzen. Das mag für bestimmte schwere körperliche Arbeiten unserer Kriegsfertigung zutreffen. Darüber hinaus aber bin ich der Überzeugung, daß die deutsche Frau fest entschlossen ist, den Platz, den der Mann, der an die Front geht, freimacht, in kürzester Frist voll auszufüllen. Wir brauchen uns da gar nicht auf bolschewistische Beispiele zu berufen. Auch in der deutschen Kriegswirtschaft sind seit Jahren schon Millionen bester deutscher Frauen mit größtem Erfolg tätig, und sie warten mit Ungeduld darauf, daß ihre Reihen baldigst durch neuen Zuzug vermehrt und ergänzt werden. Alle die, die sich für diese Arbeit zur Verfügung stellen, erfüllen damit nur eine Dankespflicht der Front gegenüber. Hunderttausende sind schon gekommen, Hunderttausende werden noch kommen. In kürzester Zeit hoffen wir damit Armeen von Arbeitskräften freizumachen, die ihrerseits wieder Armeen von kämpfenden Frontsoldaten freistellen werden.
Ich müßte mich sehr in den deutschen Frauen täuschen, wenn ich annehmen sollte, daß sie den hiermit an sie ergehenden Appell überhören wollten. Sie werden sich nicht in engherziger Weise an das Gesetz anklammern oder gar noch versuchen, durch seine Maschen zu entschlüpfen. Im übrigen würden die wenigen, die solche Absichten verfolgen, damit bei uns nichts landen. Ärztliche Atteste werden statt der aufgerufenen Arbeitskraft nicht als vollwertig angenommen. Auch eine etwaige Alibi-Arbeit, die man sich beim Mann oder beim Schwager oder bei einem guten Bekannten

verschafft, um sich unbeaufsichtigt weiter an der Arbeit vorbeidrücken zu können, wird von uns mit entsprechenden Gegenmaßnahmen beantwortet werden. Die wenigen, die solche Pläne verfolgen, können sich damit in der öffentlichen Wertung nur selbst erledigen. Das Volk wird ihnen die größte Verachtung zollen. Niemand verlangt, daß eine Frau, die dazu nicht die nötigen körperlichen Voraussetzungen mitbringt, in die schwere Fertigung einer Panzerfabrik geht. Es gibt aber eine Unmenge von Fertigungen auch in der Kriegsindustrie, die ohne allzu starke körperliche Anstrengung geleistet werden können und für die sich eine Frau, auch wenn sie aus bevorzugten Kreisen stammt, ruhig zur Verfügung stellen kann. Niemand ist dafür zu gut, und wir haben ja nur die Wahl, hier etwas Ganzes zu tun oder das Ganze zu verlieren. [...]

Man darf übrigens nicht den Fehler machen, alles, was jetzt nötig ist, auf die Regierung zu schieben. Die Regierung kann nur die großen Rahmengesetze schaffen. Den Rahmengesetzen Leben und Inhalt zu geben, ist Aufgabe des arbeitenden Volkes; und zwar soll das unter der befeuernden Führung der Partei geschehen. Schnelles Handeln ist hier erstes Gebot.

Über die gesetzliche Verpflichtung hinaus also gilt jetzt die

Parole: Freiwillige vor!

[...] Daneben vollziehen sich großzügige Zusammenlegungen in unserer allgemeinen Wirtschaft.

Ich weiß, daß große Teile unseres Volkes dabei schwere Opfer bringen müssen. Ich habe Verständnis für diese Opfer, und die Volksführung ist bemüht, diese auf ein Mindestmaß zu beschränken. Aber ein gewisser Rest wird übrigbleiben, der getragen werden muß. Nach dem Kriege werden wir das, was wir heute auflösen, größer und schöner denn je wieder neu aufbauen, und der Staat wird dazu seine helfende Hand leihen.

Ich wende mich in diesem Zusammenhang eindringlich gegen

die Behauptung, daß mit unseren Maßnahmen eine Stilllegung des Mittelstandes oder eine Monopolisierung unserer Wirtschaft bezweckt würde. Nach dem Kriege wird der Mittelstand sofort wieder in größtem Umfange wirtschaftlich und sozial wiederhergestellt.

Die augenblicklichen Maßnahmen sind ausschließlich Notmaßnahmen für die Kriegszwecke und Kriegsbedürfnisse. Sie streben nicht eine strukturelle Veränderung der Wirtschaft an, sondern sind lediglich auf das Ziel ausgerichtet, den Sieg so schnell und so gründlich wie möglich erkämpfen zu helfen. Denn hier liegt der Weg zum Siege. [...]

Wir haben uns in den vergangenen Jahren oft in unseren Zeitungen und Reden auf das friderizianische Beispiel berufen. Wir hatten gar keine Berechtigung dazu. Friedrich II. stand im Dritten Schlesischen Krieg[5] zeitweilig mit fünf Millionen Preußen, wie Schlieffen berechnet, 90 Millionen Europäern gegenüber. Und schon im zweiten der sieben höllischen Jahre erlitt er eine Niederlage[6], die den ganzen preußischen Staat ins Wanken brachte. Er hat niemals genug Soldaten und Waffen gehabt, um seine Schlachten ohne größtes Risiko zu schlagen. Er trieb seine Strategie immer als ein System der Aushilfen. Aber er verfolgte dabei den Grundsatz, den Feind anzugreifen, wo sich ihm eine Gelegenheit dazu bot, und ihn zu schlagen, wo er sich ihm stellte. Daß er Niederlagen erlitt, ist nicht das Entscheidende. Entscheidend ist vielmehr, daß der Große König in allen Schicksalsschlägen ungebrochen blieb, daß er unerschütterlich das schwankende Kriegsglück auf sich nahm und sein ehernes Herz jede Gefahr überwand. Am Ende der sieben Jahre stand er, 51jährig, ein zahnloser, gichtkranker und von tausend Schmerzen gepeinigter Greis, doch als Sieger auf dem verwüsteten Schlachtfeld. Was haben wir denn dem entgegenzusetzen? Höchstens nur den Willen und die Entschlußkraft, es ihm,

5. im Siebenjährigen Krieg, vgl. Text 3.
6. Vgl. Einleitung zu Text 3.

wenn die Stunde das gebietet, gleichzutun, wie er unerschütterlich zu bleiben in allen Fügungen des Schicksals, wie er den Sieg auch unter den ungünstigsten Umständen herbeizuzwingen, und niemals an der großen Sache, die wir verfechten, zu verzweifeln.
Ich gebe meiner tiefen Überzeugung Ausdruck, daß das deutsche Volk durch den tragischen Schicksalsschlag von Stalingrad innerlich auf das tiefste geläutert worden ist. Es hat dem Krieg in sein hartes und erbarmungsloses Antlitz hineingeschaut. Es weiß nun die grausame Wahrheit und ist entschlossen, mit dem Führer durch dick und dünn zu gehen.
(Wie ein Meer erhebt sich die begeisterte Menge, und nicht enden wollende Sprechchöre »Führer befiehl, wir folgen dir!«, »Heil unserem Führer!« hindern den Minister minutenlang am Weiterreden.)
An unserer Seite stehen treue und zuverlässige Bundesgenossen[7]. [...] Im übrigen aber wird der Feind uns

im kommenden Sommer wieder in alter Offensivkraft

kennenlernen! Das deutsche Volk ist entschlossen, dem Führer dazu unter Aufbietung all seiner Energien die nötige Möglichkeit zu verschaffen.
In diesen Tagen hat sich die englische und amerikanische Presse sehr ausgiebig mit der Haltung des deutschen Volkes in der gegenwärtigen Krise befaßt. Die Engländer kennen das deutsche Volk nach ihren Angebereien bekanntlich viel besser als wir, seine eigene Führung. Sie geben uns scheinheilig Ratschläge, was wir zu tun und zu lassen hätten, immer in der irrigen Ansicht, das deutsche Volk von heute gleiche dem deutschen Volk vom November 1918, das auf ihre Verführungskünste hereinfiel. Ich habe es nicht nötig, gegen diese Annahme den Gegenbeweis zu führen. Der Gegenbeweis wird vom kämpfenden und arbeitenden deutschen Volk jeden Tag aufs neue erhärtet.

7. Goebbels nennt in der hier gestrichenen Textstelle Italien und Japan.

Ich möchte aber zur Steuer der Wahrheit an euch, meine deutschen Volksgenossen und Volksgenossinnen, eine Reihe von Fragen richten, die ihr mir nach bestem Wissen und Gewissen beantworten müßt. Als mir meine Zuhörer auf meine Forderungen vom 30. Januar spontan ihre Zustimmung bekundeten, behauptete die englische Presse am anderen Tag, das sei ein Propagandatheater gewesen und entspreche in keiner Weise der wahren Stimmung des deutschen Volkes. (Spontane Rufe: »Pfui! Lüge! Sie sollen nur herkommen! Die werden uns kennenlernen!«) Ich habe heute zu dieser Versammlung nun einen Ausschnitt des deutschen Volkes im besten Sinne des Wortes eingeladen. (Die Aufzählung des Ministers wird von stürmischen Kundgebungen begleitet, die sich in einem nicht enden wollenden Beifall und stärkster Zustimmung für die im Sportpalast anwesenden Vertreter der Wehrmacht kundtun.) Vor mir sitzen reihenweise deutsche Verwundete von der Ostfront, Bein- und Armamputierte, mit zerschossenen Gliedern, Kriegsblinde, die mit ihren Rote-Kreuz-Schwestern gekommen sind, Männer in der Blüte ihrer Jahre, die vor sich ihre Krücken stehen haben. Dazwischen zähle ich an die fünfzig Träger des Eichenlaubes und des Ritterkreuzes, eine glänzende Abordnung unserer kämpfenden Front. Hinter ihnen erhebt sich ein Block von Rüstungsarbeitern und -arbeiterinnen aus den Berliner Panzerwerken. Wieder hinter ihnen sitzen Männer aus der Parteiorganisation, Soldaten aus der kämpfenden Wehrmacht, Ärzte, Wissenschaftler, Künstler, Ingenieure und Architekten, Lehrer, Beamte und Angestellte aus den Ämtern und Büros, eine stolze Vertreterschaft unseres geistigen Lebens in all seinen Schichtungen, dem das Reich gerade jetzt im Kriege Wunder der Erfindung und des menschlichen Genies verdankt. Über das ganze Rund des Sportpalastes sehe ich Tausende von deutschen Frauen. Die Jugend ist hier vertreten

und das Greisenalter. Kein Stand, kein Beruf und kein Lebensjahr blieb bei der Einladung unberücksichtigt. Ich kann also mit Fug und Recht sagen: Was hier vor mir sitzt, ist ein Ausschnitt aus dem ganzen deutschen Volk an der Front und in der Heimat. Stimmt das? (Der Sportpalast erlebt im Augenblick dieser Fragestellung eine Kundgebung, wie sie selbst diese alte Kampfstätte des Nationalsozialismus nur an besonderen Höhepunkten nationalen Geschehens erlebt hat. Die Masse springt wie elektrisiert von ihren Plätzen. Wie ein Orkan braust ein vieltausendstimmiges Ja durch das weite Rund. Was die Teilnehmer dieser Kundgebung erleben, ist eine Volksabstimmung und Willensäußerung, wie sie spontaner keinen Ausdruck finden kann.)
Ihr also, meine Zuhörer, repräsentiert in diesem Augenblick die Nation. Und an euch möchte ich zehn Fragen richten, die ihr mir mit dem deutschen Volke vor der ganzen Welt, insbesondere aber vor unseren Feinden, die uns auch an ihrem Rundfunk zuhören, beantworten sollt. (Nur mit Mühe kann sich der Minister für die nun folgenden Fragen Gehör verschaffen. Die Masse befindet sich in einem Zustand äußerster Hochstimmung. Messerscharf fallen die einzelnen Fragen. Jeder einzelne fühlt sich persönlich angesprochen. Mit letzter Anteilnahme und Begeisterung gibt die Masse auf jede einzelne Frage die Antwort. Der Sportpalast hallt wider von einem einzigen Schrei der Zustimmung.)

Die Engländer behaupten, das deutsche Volk habe den Glauben an den Sieg verloren.

Ich frage euch: Glaubt ihr mit dem Führer und mit uns an den endgültigen totalen Sieg des deutschen Volkes?

Ich frage euch: Seid ihr entschlossen, dem Führer in der Erkämpfung des Sieges durch dick und dünn und unter Aufnahme auch der schwersten persönlichen Belastungen zu folgen?

Zweitens: Die Engländer behaupten, das deutsche Volk ist des Kampfes müde.

Ich frage euch: Seid ihr bereit, mit dem Führer als Phalanx der Heimat hinter der kämpfenden Wehrmacht stehend diesen Kampf mit wilder Entschlossenheit und unbeirrt durch alle Schicksalsfügungen fortzusetzen, bis der Sieg in unseren Händen ist?
Drittens: Die Engländer behaupten, das deutsche Volk hat keine Lust mehr, sich der überhand nehmenden Kriegsarbeit, die die Regierung von ihm fordert, zu unterziehen.
Ich frage euch: Seid ihr und ist das deutsche Volk entschlossen, wenn der Führer es befiehlt, zehn, zwölf, und wenn nötig, vierzehn und sechzehn Stunden täglich zu arbeiten und das Letzte herzugeben für den Sieg?
Viertens: Die Engländer behaupten, das deutsche Volk wehrt sich gegen die totalen Kriegsmaßnahmen der Regierung. Es will nicht den totalen Krieg, sondern die Kapitulation. (Zurufe: »Niemals! Niemals! Niemals!«)
Ich frage euch: Wollt ihr den totalen Krieg? Wollt ihr ihn, wenn nötig, totaler und radikaler, als wir ihn uns heute überhaupt erst vorstellen können?
Fünftens: Die Engländer behaupten, das deutsche Volk hat sein Vertrauen zum Führer verloren.
Ich frage euch: Ist euer Vertrauen zum Führer heute größer, gläubiger und unerschütterlicher denn je? Ist eure Bereitschaft, ihm auf allen seinen Wegen zu folgen und alles zu tun, was nötig ist, um den Krieg zum siegreichen Ende zu führen, eine absolute und uneingeschränkte?
(Die Menge erhebt sich wie ein Mann. Die Begeisterung der Masse entlädt sich in einer Kundgebung nicht dagewesenen Ausmaßes. Vieltausendstimmige Sprechchöre brausen durch die Halle: »Führer befiehl, wir folgen!« Eine nicht abebbende Woge von Heilrufen auf den Führer braust auf. Wie auf ein Kommando erheben sich nun die Fahnen und Standarten, höchster Ausdruck des weihevollen Augenblicks, in dem die Masse dem Führer huldigt.)[8]

8. Diese Beschreibung der Publikumsreaktionen entspricht nicht den Tatsachen. Es waren nur Ja-Rufe zu vernehmen und ein im Verhältnis zu anderen Passagen nur mäßiger Beifall (ca. 5 Sekunden). Dies ist ein

Ich frage euch als sechstes: Seid ihr bereit, von nun ab eure *ganze Kraft* einzusetzen und der Ostfront die Menschen und Waffen zur Verfügung zu stellen, die sie braucht, um dem Bolschewismus den tödlichen Schlag zu versetzen?
Ich frage euch siebentens: Gelobt ihr mit heiligem Eid der Front, daß *die Heimat mit starker Moral* hinter ihr steht und ihr alles geben wird, was sie nötig hat, um den Sieg zu erkämpfen?
Ich frage euch achtens: Wollt ihr, insbesondere ihr Frauen selbst, daß die Regierung dafür sorgt, daß *auch die deutsche Frau ihre ganze Kraft* der Kriegführung zur Verfügung stellt und überall da, wo es nur möglich ist, einspringt, um Männer für die Front frei zu machen und damit ihren Männern an der Front zu helfen?
Ich frage euch neuntens: Billigt ihr, wenn nötig, die radikalsten Maßnahmen gegen einen kleinen Kreis von Drückebergern und Schiebern, die mitten im Kriege Frieden spielen und die Not des Volkes zu eigensüchtigen Zwecken ausnutzen wollen? Seid ihr damit einverstanden, daß, *wer sich am Krieg vergeht, den Kopf* verliert?
Ich frage euch zehntens und zuletzt: Wollt ihr, daß, wie das nationalsozialistische Parteiprogramm es gebietet, gerade im Kriege *gleiche Rechte und gleiche Pflichten* vorherrschen, daß die Heimat die schweren Belastungen des Krieges solidarisch auf ihre Schultern nimmt und daß sie *für hoch und niedrig und arm und reich in gleicher Weise verteilt* werden?
Ich habe euch gefragt: ihr habt mir eure Antwort gegeben. Ihr seid ein Stück Volk, durch euren Mund hat sich damit die Stellungnahme des deutschen Volkes manifestiert. Ihr habt unseren Feinden das zugerufen, was sie wissen müssen, damit sie sich keinen Illusionen und falschen Vorstellungen hingeben. [...]
Wir alle, Kinder unseres Volkes, zusammengeschweißt mit

besonders aufschlußreiches Beispiel für die Textmanipulationen in den Druckfassungen.

dem Volke in der größten Schicksalsstunde unserer nationalen Geschichte, wir geloben euch, wir geloben der Front, und wir geloben dem Führer, daß wir die Heimat zu einem Willensblock zusammenschweißen wollen, auf den sich der Führer und seine kämpfenden Soldaten unbedingt und blindlings verlassen können. Wir verpflichten uns, in unserem Leben und Arbeiten alles zu tun, was zum Siege nötig ist. Unsere Herzen wollen wir erfüllen mit jener politischen Leidenschaft, die uns immer in den großen Kampfzeiten der Partei und des Staates wie ein ewig brennendes Feuer verzehrte. Nie wollen wir in diesem Kriege jener falschen und scheinheiligen Objektivitätsduselei verfallen, der die deutsche Nation in ihrer Geschichte schon so viel Unglück zu verdanken hat.

Als dieser Krieg begann, haben wir unsere Augen einzig und allein auf die Nation gerichtet. Was ihr und ihrem Lebenskampf dient, das ist gut und muß erhalten und gefördert werden. Was ihr und ihrem Lebenskampf schadet, das ist schlecht und muß beseitigt und abgeschnitten werden. Mit heißem Herzen und kühlem Kopf wollen wir an die Bewältigung der großen Probleme dieses Zeitabschnittes des Krieges herantreten. Wir beschreiten damit den Weg zum endgültigen Sieg. Er liegt begründet im Glauben an den Führer. So stelle ich denn an diesem Abend der ganzen Nation noch einmal ihre große Pflicht vor Augen.

Der Führer erwartet von uns eine Leistung, die alles bisher Dagewesene in den Schatten stellt. Wir wollen uns seiner Forderung nicht versagen. Wie wir stolz auf ihn sind, so soll er stolz auf uns sein können.

In den großen Krisen und Erschütterungen des nationalen Lebens erst bewähren sich die wahren Männer, aber auch die wahren Frauen. Da hat man nicht mehr das Recht, vom schwachen Geschlecht zu sprechen, da beweisen beide Geschlechter die gleiche Kampfentschlossenheit und Seelenstärke. Die Nation ist zu allem bereit. Der Führer hat befohlen, wir werden ihm folgen. Wenn wir je treu und unverbrüchlich an den Sieg geglaubt haben, dann in dieser Stunde der nationalen Besinnung und der inneren Aufrichtung. Wir sehen ihn greifbar nahe vor uns liegen; wir müssen nur zufassen. Wir müssen nur die Entschlußkraft aufbringen, alles andere seinem Dienst unterzuordnen. Das ist das Gebot der Stunde. Und darum lautet die Parole:

Nun Volk steh auf und Sturm brich los![9]

(Die letzten Worte des Ministers gehen in nicht enden wollenden stürmischen Beifallskundgebungen unter.)

7. *Adolf Hitler ruft das deutsche Volk zum ›Endkampf‹ auf*

Spätestens Anfang des Jahres 1945 war der Krieg im Westen wie im Osten für Deutschland aussichtslos geworden. Amerikaner und Briten waren fast bis zum Rhein vorgestoßen, die sowjetischen Truppen erreichten Ende Januar die Oder: Der Zusammenbruch stand vor der Tür.
In dieser Situation wandte sich Adolf Hitler mit einer Rede an die deutsche Bevölkerung. Seit dem Jahre 1942 hatte er – im Gegensatz zu früher – nur selten in der Öffentlichkeit gesprochen. Wenn er überhaupt sprach, dann wählte er meistens die Form der Rundfunkansprache. So auch bei dieser letzten Rede, die er am 30. Januar 1945, am Jahrestag seiner Machtergreifung, von der Reichskanzlei in Berlin aus hielt.

Literaturhinweise: Buchheit, Gert: Hitler, der Feldherr. Zerstörung einer Legende. München 1965. (List Taschenbuch 285.) – Deuerlein, Ernst: Hitler. Eine politische Biographie. München 1969. (List

9. Geflügeltes Wort von Theodor Körner (1791–1813), einem preußischen Offizier, der vor allem durch seine Gedichtsammlung »Leier und Schwert« (1814) zum ›Dichter der Befreiungskriege‹ wurde.

Taschenbuch 349.) – Kuby, Erich: Das Ende des Schreckens. Januar bis Mai 1945. München 1961. (List Taschenbuch 206). – Schnauber, Cornelius: Wie Hitler sprach und schrieb. Zur Psychologie faschistischer Rhetorik. Frankfurt a. M. 1972.

Ein Auszug der Rede befindet sich auf Platte 3 der von Garber und Zmarzlik herausgegebenen Schallplattenreihe (s. Literaturverzeichnis).

Deutsche Volksgenossen und Volksgenossinnen!
Nationalsozialisten!

Als mich als Führer der stärksten Partei vor 12 Jahren der verewigte Reichspräsident von Hindenburg mit der Kanzlerschaft betraute, stand Deutschland im Inneren vor der gleichen Situation wie heute in weltpolitischer Hinsicht nach außen. Der durch den Versailler Vertrag planmäßig eingeleitete und fortgeführte Prozeß der wirtschaftlichen Zerstörung und Vernichtung der demokratischen Republik führte zur allmählich dauerhaft gewordenen Erscheinung von fast 7 Millionen Erwerbslosen, 7 Millionen Kurzarbeitern, einem zerstörten Bauernstand, einem vernichteten Gewerbe und einem dementsprechend auch zum Erliegen gekommenen Handel. Die deutschen Häfen waren nur noch Schiffsfriedhöfe. Die finanzielle Lage des Reiches drohte in jedem Augenblick zum Zusammenbruch nicht nur des Staates, sondern auch der Länder und der Gemeinden zu führen. Das Entscheidende aber war folgendes: Hinter dieser wirtschaftlichen methodischen Zerstörung Deutschlands stand das Gespenst des asiatischen Bolschewismus damals genau so wie heute. Und so wie jetzt im Großen war in den Jahren vor der Machtübernahme im kleinen Inneren die bürgerliche Welt völlig unfähig, dieser Entwicklung einen wirksamen Widerstand entgegenzusetzen. Man hatte auch nach dem Zusammenbruch des Jahres 1918 immer noch nicht erkannt, daß eine alte Welt im Vergehen und eine neue im Werden ist, daß es sich nicht darum handeln kann, das, was sich als morsch und faul erwiesen hatte, mit allen Mitteln zu stützen und damit künstlich zu erhalten, sondern daß es notwendig

ist, das ersichtlich Gesunde an dessen Stelle zu setzen. Eine überlebte Gesellschaftsordnung war zerbrochen, und jeder Versuch, sie aufrechtzuerhalten, mußte vergeblich sein. Es war also nicht anders wie heute im Großen, da ebenfalls die bürgerlichen Staaten der Vernichtung geweiht sind und nur klar ausgerichtete, weltanschaulich gefestigte Volksgemeinschaften die seit vielen Jahrhunderten schwerste Krise Europas zu überdauern vermögen.
Nur sechs Jahre des Friedens sind uns seit dem 30. Januar 1933 vergönnt gewesen. In diesen sechs Jahren ist Ungeheueres geleistet und noch Größeres geplant worden; so vieles und so Gewaltiges, daß es aber erst recht den Neid unserer demokratischen, nichtskönnenden Umwelt erweckte.
Das Entscheidende aber war, daß es in diesen sechs Jahren gelang, mit übermenschlichen Anstrengungen den deutschen Volkskörper wehrmäßig zu sanieren, das heißt, ihn nicht in erster Linie mit einer materiellen Kriegsmacht auszustatten, sondern mit dem geistigen Widerstandswillen der Selbstbehauptung zu erfüllen.
Das grauenhafte Schicksal, das sich heute im Osten abspielt, das in Dorf und Markt, auf dem Lande und in den Städten den Menschen zu Zehn- und Hunderttausenden zustößt, wird mit äußersten Anstrengungen von uns am Ende trotz aller Rückschläge und harten Prüfungen abgewehrt und gemeistert werden. Wenn das aber überhaupt möglich ist, dann nur, weil sich seit dem Jahre 1933 eine innere Wende im deutschen Volke vollzogen hat. Heute noch ein Deutschland des Versailler Vertrages – und Europa wäre schon längst von der innerasiatischen Sturmflut weggefegt worden. Mit jenen nie aussterbenden Strohköpfen braucht man sich dabei kaum auseinanderzusetzen, die der Meinung sind, ein wehrloses Deutschland wäre infolge seiner Ohnmacht sicher nicht zum Opfer dieser jüdisch-internationalen Weltverschwörung geworden.
Das heißt nichts anderes, als alle Naturgesetze auf den Kopf stellen! Wann wird die wehrlose Gans vom Fuchs deswegen nicht gefressen, weil sie infolge ihrer Konstitution aggressive

Absichten nicht haben kann, und wann wird der Wolf endlich Pazifist, weil die Schafe keinerlei Rüstung besitzen? Daß es – wie gesagt – so bürgerliche Schafe gibt, die das in allem Ernst glauben, beweist nur, wie notwendig es war, ein Zeitalter zu beseitigen, das in seiner Erziehung solche Erscheinungen zu züchten und zu erhalten vermochte, ja ihnen sogar politischen Einfluß einräumte.

Längst ehe der Nationalsozialismus zur Macht gekommen war, tobte bereits der unerbittliche Kampf gegen diesen jüdisch-asiatischen Bolschewismus. Wenn er nicht schon im Jahre 1919/20 Europa überrannte, dann nur deshalb, weil er damals selbst noch zu schwach und zu wenig gerüstet war. Sein Versuch, Polen zu beseitigen[1], wurde nicht aufgegeben aus Mitleid mit dem damaligen Polen, sondern nur infolge der verlorenen Schlacht vor Warschau. Seine Absicht, Ungarn zu vernichten, ist nicht unterblieben, weil man sich eines anderen besann, sondern weil die bolschewistische Gewalt militärisch nicht aufrechterhalten werden konnte. Der Versuch, Deutschland zu zertrümmern, wurde ebenfalls nicht aufgegeben, weil man etwa den Erfolg nicht mehr wünschte, sondern weil es nicht gelang, den Rest der natürlichen Widerstandskraft unseres Volkes zu beseitigen. Sofort begann das Judentum nunmehr mit der planmäßigen inneren Zersetzung unseres Volkes, und es hatte dabei die besten Bundesgenossen, jene verbohrten Bürger, die nicht erkennen wollten, daß das Zeitalter einer bürgerlichen Welt eben beendet ist und niemals wiederkehren wird, daß sich die Epoche des zügellosen wirtschaftlichen Liberalismus überlebt hat und nur zum eigenen Zusammenbruch führen kann, daß man vor allem die großen Aufgaben der Zeit nur zu meistern vermag unter einer autoritär zusammengefaßten Kraft der Nation, ausgehend von dem Gesetz der gleichen Rechte aller und daraus folgend erst der gleichen Pflichten, genau-

1. Hitler spielt hier auf den russisch-polnischen Krieg (April bis Oktober 1920), auf die kommunistische Räteregierung in Ungarn (1919) unter Bela Kun und auf die sowjetischen Versuche, in Deutschland eine Revolution auszulösen, an.

so wie umgekehrt die Erfüllung dieser gleichen Pflichten auch zwangsläufig zu gleichen Rechten führen muß.
So hat der Nationalsozialismus inmitten einer gigantischen wirtschaftlichen, sozialen und kulturellen Aufbautätigkeit vor allem auch erziehungsmäßig dem deutschen Volke jene Rüstung gegeben, die überhaupt erst in militärische Werte umgesetzt werden konnte. Die Widerstandskraft unserer Nation ist seit dem 30. Januar 1933 so ungeheuer gewachsen, daß sie nicht mehr vergleichbar ist mit der früherer Zeitalter. Die Aufrechterhaltung dieser inneren Widerstandskraft aber ist zugleich der sicherste Garant für den endgültigen Sieg!
Wenn Europa heute von einer schweren Krankheit ergriffen ist, dann werden die davon betroffenen Staaten sie entweder unter Aufbietung ihrer ganzen und äußersten Widerstandskraft überwinden oder an ihr zugrunde gehen. Allein auch der Genesende und damit Überlebende überwindet den Höhepunkt einer solchen Krankheit nur in einer Krise, die ihn selbst auch auf das äußerste schwächt. Es ist aber deshalb erst recht unser unabänderlicher Wille, in diesem Kampf der Errettung unseres Volkes vor dem grauenhaftesten Schicksal aller Zeiten vor nichts zurückzuschrecken und unwandelbar und treu dem Gebot der Erhaltung unserer Nation zu gehorchen. Der Allmächtige hat unser Volk geschaffen. Indem wir seine Existenz verteidigen, verteidigen wir sein Werk. Daß diese Verteidigung mit namenlosem Unglück, Leid und Schmerzen sondergleichen verbunden ist, läßt uns nur noch mehr an diesem Volk hängen. Es läßt uns aber auch jene Härte gewinnen, die notwendig ist, um auch in schlimmsten Krisenpunkten unsere Pflicht zu erfüllen; das heißt nicht nur die Pflicht dem anständigen ewigen Deutschland gegenüber, sondern auch die Pflicht gegenüber jenen wenigen Ehrlosen, die sich von ihrem Volkstum trennen. Es gibt deshalb in diesem Schicksalskampf für uns nur ein Gebot: Wer ehrenhaft kämpft, kann damit das Leben für sich und seine Lieben retten. Wer der Nation aber feige oder charakterlos

in den Rücken fällt, wird unter allen Umständen eines schimpflichen Todes sterben.
Daß der Nationalsozialismus diesen Geist in unserem deutschen Volke erwecken und erhärten konnte, ist seine größte Tat. Wenn einmal nach dem Abklingen dieses gewaltigen Weltdramas die Friedensglocken läuten werden, wird man erst erkennen, was das deutsche Volk dieser seelischen Wiedergeburt verdankt: Es ist nicht weniger als sein Dasein auf dieser Welt.
Vor wenigen Monaten und Wochen noch haben die alliierten Staatsmänner ganz offen das deutsche Schicksal gekennzeichnet.[2] Sie wurden daraufhin von einigen Zeitungen ermahnt, klüger zu sein und lieber etwas zu versprechen, auch wenn man nicht die Absicht habe, das Versprochene später einzuhalten. Ich möchte in dieser Stunde als unerbittlicher Nationalsozialist und Kämpfer meines Volkes diesen anderen Staatsmännern einmal für immer die Versicherung abgeben, daß jeder Versuch der Einwirkung auf das nationalsozialistische Deutschland durch Phrasen Wilsonscher Prägung[3] eine Naivität voraussetzt, die das heutige Deutschland nicht kennt.
Aber es ist überhaupt nicht entscheidend, daß in den Demokratien die politische Tätigkeit und die Lüge als unlösbare Bundesgenossen in Erscheinung treten, sondern entscheidend ist, daß jedes Versprechen, das diese Staatsmänner einem Volk abgeben, heute überhaupt völlig belanglos ist, weil sie selbst nicht mehr in der Lage sind, je[mals] irgendeine solche Versicherung einlösen zu können. Es ist nicht anders, als wenn ein Schaf einem anderen die Versicherung abgeben wollte, es vor einem Tiger zu beschützen. Ich wiederhole demgegenüber meine Prophezeiung: England wird nicht nur nicht in der Lage sein, den Bolschewismus zu bezähmen, sondern seine eigene Entwicklung wird zwangsläufig mehr

2. Gemeint ist die Konferenz von Teheran, 28. November bis 1. Dezember 1944, auf der über ein besiegtes Deutschland verhandelt wurde.
3. Anspielung auf die vom amerikanischen Präsidenten Woodrow Wilson 1918 verkündeten 14 Punkte seines Friedensprogramms.

und mehr im Sinne dieser auflösenden Krankheit verlaufen. Die Geister, die die Demokratien aus den Steppen Asiens gerufen haben, werden sie selbst nicht mehr los. All die kleinen europäischen Nationen, die im Vertrauen auf alliierte Zusicherungen kapitulierten, gehen ihrer völligen Ausrottung entgegen. Ob sie dieses Schicksal etwas früher oder etwas später trifft, ist – gemessen an seiner Unabwendbarkeit – völlig belanglos. Es sind ausschließlich taktische Erwägungen, die die Kremljuden bewegen, in einem Fall sofort brutal und im anderen Fall zunächst etwas zurückhaltender vorzugehen. Das Ende wird immer das gleiche sein.
Dieses Schicksal aber wird Deutschland niemals erleiden! Der Garant dafür ist der vor zwölf Jahren erfochtene Sieg im Inneren unseres Landes. Was immer auch unsere Gegner ersinnen mögen, was immer sie deutschen Städten, den deutschen Landschaften und vor allem unseren Menschen an Leid zufügen, es verblaßt gegenüber dem unkorrigierbaren Jammer und Unglück, das uns treffen müßte, wenn jemals die plutokratisch[4]-bolschewistische Verschwörung Sieger bliebe.
Es ist daher am 12. Jahrestag der Machtübernahme erst recht notwendig, das Herz stärker zu machen als jemals zuvor und in sich den heiligen Entschluß zu erhärten, die Waffen zu führen, ganz gleich wo und ganz gleich unter welchen Umständen – so lange, bis am Ende der Sieg unsere Anstrengungen krönt.
Ich möchte an diesem Tage aber auch über etwas anderes keinen Zweifel lassen: einer ganzen feindlichen Umwelt zum Trotz habe ich einst im Innern meinen Weg gewählt und bin ihn als Unbekannter, Namenloser gewandert bis zum endgültigen Erfolg. Oftmals totgesagt und jederzeit totgewünscht, abschließend doch als Sieger! Mein heutiges Leben wird aber ebenso ausschließlich bestimmt durch die mir obliegenden Pflichten.
Sie ergeben zusammengefaßt nur eine einzige, nämlich: für mein Volk zu arbeiten und dafür zu kämpfen. Von dieser

4. politische Macht einzig und allein durch Besitz ausübend.

Pflicht kann mich nur der entbinden, der mich dazu berufen hat. Es lag in der Hand der Vorsehung, am 20. Juli durch die Bombe, die 1½ Meter neben mir krepierte, mich auszulöschen und damit mein Lebenswerk zu beenden. Daß mich der Allmächtige an diesem Tag beschützte, sehe ich als eine Bekräftigung des mir erteilten Auftrages an. Ich werde daher auch in den kommenden Jahren diesen Weg kompromißloser Vertretung der Interessen meines Volkes weiterwandeln, unbeirrt durch jede Not und jede Gefahr und durchdrungen von der heiligen Überzeugung, daß am Ende der Allmächtige den nicht verlassen wird, der in seinem ganzen Leben nichts anderes wollte, als sein Volk vor einem Schicksal zu retten, das es weder seiner Zahl noch gar seiner Bedeutung nach jemals verdient hat.
Ich appelliere in dieser Stunde deshalb an das ganze deutsche Volk, an der Spitze aber an meine alten Mitkämpfer und an alle Soldaten, sich mit einem noch größeren härteren Geist des Widerstandes zu wappnen, bis wir – wieder wie schon einmal – den Toten dieses gewaltigen Ringens den Kranz mit der Schleife auf das Grab legen dürfen: »Und ihr habt doch gesiegt!«[5]
[6]Ich erwarte von jedem Deutschen, daß er deshalb seine Pflicht bis zum Äußersten erfüllt, daß er jedes Opfer, das von ihm gefordert wird und werden muß, auf sich nimmt, ich erwarte von jedem Gesunden, daß er sich mit Leib und Leben einsetzt im Kampf, ich erwarte von jedem Kranken und Gebrechlichen oder sonst Unentbehrlichen, daß er bis zum Aufgebot seiner letzten Kraft arbeitet; ich erwarte von den Bewohnern der Städte, daß sie die Waffen schmieden für diesen Kampf, und ich erwarte vom Bauern, daß er unter höchstmöglicher eigener Einschränkung das Brot gibt für die Soldaten und Arbeiter dieses Kampfes. Ich erwarte

5. Am 12. März 1933 legte Hitler in München vor der Feldherrnhalle zu Ehren der Gefallenen seiner ›Bewegung‹ einen Kranz nieder, dessen Schleife diesen Text trug.

6. Vgl. dazu die Schallplatte »Das Dritte Reich in Dokumenten« (Literaturverzeichnis).

von allen Frauen und Mädchen, daß sie diesen Kampf – so wie bisher – mit äußerstem Fanatismus unterstützen. Ich wende mich mit besonderem Vertrauen dabei an die deutsche Jugend. Indem wir eine so verschworene Gemeinschaft bilden, können wir mit Recht vor den Allmächtigen treten und ihn um seine Gnade und seinen Segen bitten. Denn mehr kann ein Volk nicht tun, als daß jeder, der kämpfen kann, kämpft, und jeder, der arbeiten kann, arbeitet, und alle gemeinsam opfern, nur von dem einen Gedanken erfüllt, die Freiheit, die nationale Ehre und damit die Zukunft des Lebens sicherzustellen.
Wie schwer auch die Krise im Augenblick sein mag, sie wird durch unseren unabänderlichen Willen, durch unsere Opferbereitschaft und durch unsere Fähigkeiten am Ende trotzdem gemeistert werden. Wir werden auch diese Not überstehen. Es wird auch in diesem Kampf nicht Innerasien siegen, sondern Europa, – und an der Spitze jene Nation, die seit eineinhalbtausend Jahren Europa als Vormacht gegen den Osten vertreten hat und in alle Zukunft vertreten wird: Unser Großdeutsches Reich, die deutsche Nation!

8. Bundestagsreden anläßlich des Baus der Berliner Mauer

Am 13. August 1961, gegen zwei Uhr morgens, riegelten bewaffnete Kräfte der DDR die Sektorengrenzen zwischen Ost- und Westberlin mit Stacheldraht und Barrikaden ab. Am gleichen Tag wurde ein entsprechender Beschluß des Ministerrats der DDR vom 12. August veröffentlicht, in dem die Sektorengrenzen als Staatsgrenzen bezeichnet werden.
Dem mehr innenpolitischen Grund der DDR-Behörden, den wirtschaftlich nicht mehr vertretbaren Flüchtlingsstrom zu stoppen korrespondierte ein außenpolitischer für den Mauerbau: Die Isolierung Westberlins und die Aufhebung des schon durchlöcherten Viermächtestatus.

Nach dem Bekanntwerden der Vorgänge in Berlin, wurde der deutsche Bundestag am 18. August 1961 zu einer Sondersitzung nach Bonn einberufen. Diese Sitzung hatte nur einen Tagesordnungspunkt: »Entgegennahme einer Erklärung der Bundesregierung zur politischen Lage und Beratung über die Lage Berlins.«
Zu einer eigentlichen Beratung kam es nicht, denn diese Bundestagssitzung diente nur der Darstellung von Standpunkten vor der Öffentlichkeit. Darin unterschied sie sich nicht von den meisten anderen Bundestagssitzungen; die eigentlichen Beratungen dieses höchsten Entscheidungsgremiums sind verlagert in kleine und kleinste Gremien (Fraktion, Ausschuß, Kabinett). Das, was sich als ›Beratung‹ in der Bundestagsdebatte darstellt, sind – von Ausnahmen abgesehen – nur noch Darlegungen der kaum mehr zu erschütternden Positionen der verschiedenen Gruppen. (Vgl. zu dieser Problematik: Schneider, Franz: Diskussion und Evidenz im parlamentarischen Regierungssystem. In: Aus Politik und Zeitgeschichte, 1968, Nr. 6.)
So gaben also am 18. August Bundeskanzler Konrad Adenauer und die Fraktionsvorsitzenden der Parteien im Bundestag lediglich Erklärungen ab, die zudem von einer vollen Einigkeit in der Beurteilung der Lage zeugten. Eine kontroverse Position bezog nur der fraktionslose Abgeordnete Arno Behrisch.
Die folgenden Auszüge bringen die Erklärung des Bundeskanzlers, die Rede von Arno Behrisch sowie die Erwiderung von Kurt Neubauer und die Schlußworte von Bundestagspräsident Gerstenmaier.
Die Sitzung, die von Rundfunk und Fernsehen übertragen wurde, begann um 11.04 und endete um 13.43.

Literaturhinweise: Konsequenzen und Thesen. Analysen und Dokumente zur Deutschlandpolitik. Hrsg. von Heinrich Albertz und Dietrich Goldschmidt. Reinbek 1969. (rororo aktuell 1280.) – Vogelsang, Thilo: Das geteilte Deutschland. München 1966. (dtv 4011.)

Dr. Adenauer, Bundeskanzler: Herr Präsident! Meine Damen und meine Herren! Namens der Bundesregierung gebe ich folgende Erklärung ab:

Die Machthaber in der sowjetisch besetzten Zone Deutschlands haben seit den frühen Morgenstunden des 13. August den Verkehr zwischen dem sowjetischen Sektor und den drei westlichen Sektoren Berlins fast völlig zum Erliegen gebracht. Entlang der Sektorengrenze wurden Stacheldrahtverhaue errichtet; starke Verbände der Volks- und Grenzpolizei bezogen ihre Stellungen an der Sektorengrenze, um die *Abriegelung des Verkehrs zwischen Ost- und Westberlin* durchzuführen. Gleichzeitig wurden Truppen der Nationalen Volksarmee in Ostberlin eingesetzt.

Diese Abriegelungsmaßnahmen wurden auf Grund eines Beschlusses der Zonenmachthaber vom 12. August ergriffen. Mit ihrer Durchführung hat das *Ulbricht-Regime* gegenüber der gesamten Welt eine klare und unmißverständliche politische Bankrotterklärung einer 16jährigen Gewaltherrschaft abgegeben.

(Beifall bei der CDU/CSU und der FDP.)

Mit diesen Maßnahmen hat das Ulbricht-Regime eingestehen müssen, daß es nicht vom freien Willen der in der Zone lebenden Deutschen getragen und gestützt wird. Mit diesen Maßnahmen hat das Ulbricht-Regime bestätigt, daß die Ausübung des Selbstbestimmungsrechts durch das deutsche Volk zur Erhaltung des Weltfriedens unaufschiebbar geworden ist!

(Beifall bei der CDU/CSU und der SPD.)

Diese widerrechtlichen Maßnahmen, die die Bundesregierung mit Sorge und mit Abscheu zur Kenntnis genommen hat, stehen in flagrantem Widerspruch zu den *Viermächtevereinbarungen* über die Bewegungsfreiheit innerhalb Groß-Berlins und denjenigen Viermächtevereinbarungen, die die Regelung des Verkehrs zwischen Berlin und der Zone zum Gegenstand haben[1].

1. Adenauer bezieht sich hier auf das Vier-Mächte-Kommuniqué vom 4. Mai 1949 und auf Vereinbarungen des Außenministerrates vom 20. Juni 1949.

Mit der Abriegelung des Verkehrs zwischen Ost- und Westberlin hat das Zonenregime die bestehenden und von der Regierung der UdSSR bis auf den heutigen Tag anerkannten Viermächtevereinbarungen betreffend Berlin einseitig und mit brutaler Gewalt verletzt.
Die Bundesregierung stellt mit großem Bedauern fest, daß dieser Willkürakt mit Billigung der *Regierung der UdSSR* als Führungsmacht des Warschauer Paktes erfolgt ist. Mit dieser Billigung hat sich die sowjetische Regierung in Gegensatz zu ihren ständigen Beteuerungen gestellt, die Deutschland- und Berlinfrage auf dem Verhandlungswege zu lösen. Während der amerikanische Präsident in seiner letzten Pressekonferenz vom 10. August[2] erneut die Bereitschaft der Regierung der Vereinigten Staaten von Amerika zum Ausdruck gebracht hat, über die Deutschland- und Berlinfrage Verhandlungen zu führen, reagieren die Zonenmachthaber auf diesen westlichen Friedens- und Verhandlungswillen mit militärischen Maßnahmen. Diese Reaktion führt der gesamten Weltöffentlichkeit – mehr als Worte dies zu tun vermögen – vor Augen, daß die gegenwärtige Krise einzig und allein durch die sowjetische Deutschland- und Berlinpolitik ausgelöst wurde.

(Beifall bei der CDU/CSU und der FDP.)

Die Regierung der Sowjetunion hat am 10. November 1958 durch ihre Erklärungen die Berlinkrise ausgelöst.[3] Sie hat in der Zwischenzeit in zahllosen Noten und Erklärungen darauf hingewiesen, daß sie, was auch sonst ihr Ziel sei, nicht daran denke, die Freiheit Westberlins anzutasten, die vielmehr von ihr feierlich garantiert werden solle. Wie lassen sich diese Erklärungen mit den Ereignissen der letzten Tage vereinbaren? Die Abmachungen der Sowjetunion mit

2. Kennedy beantwortete hier Journalistenfragen in Zusammenhang mit der letzten Rundfunk- und Fernsehrede Chruschtschows zur Berlinfrage vom 7. August und sagte, daß alle diplomatischen Mittel für eine friedliche Lösung eingesetzt würden.

3. Chruschtschow verlangte in Moskau eine Revision des Potsdamer Abkommens, um eine »normale Lage in der Hauptstadt der DDR« zu schaffen.

den drei westlichen Mächten wurden zerrissen. Die Panzer der Volksarmee, die Volkspolizei und die Betriebskampfgruppen, die in und um Ostberlin zusammengezogen wurden, um einen rechtswidrigen Angriff gegen den Status der Stadt Berlin militärisch zu unterstützen, geben eine Vorahnung dessen, wie die Garantie einer sogenannten Freien Stadt beschaffen sein würde.

(Beifall bei der CDU/CSU und bei Abgeordneten der SPD sowie rechts.)

Die Welt war am 13. August 1961 Zeuge des ersten Schrittes auf dem Wege zur Verwirklichung der angekündigten Ziele. Das nach den Regeln des Völkerrechts gültige *Viermächtestatut der Stadt Berlin* ist erneut gebrochen worden. Die jüngste Maßnahme ist zugleich die schwerwiegendste und die brutalste. Die von den Behörden der sowjetischen Besatzungszone auf Weisung ihrer Auftraggeber durchgeführten Absperrungsmaßnahmen innerhalb der Stadt Berlin und zwischen der Stadt und der sowjetisch besetzten Zone sollen offensichtlich der Auftakt sein für die Abschnürung des freien Teiles der deutschen Reichshauptstadt von der freien Welt.

Das Marionettenregime in der Zone macht in seinem Beschluß vom 12. August den vergeblichen Versuch, die angebliche Notwendigkeit dieser Abriegelungsmaßnahmen zu begründen. Die Bundesregierung hält es für unter ihrer Würde, auf diese Verdrehungen und unwahren Behauptungen näher einzugehen. Diese Behauptungen werden von der Wirklichkeit selbst gerichtet. Die Bundesregierung möchte jedoch mit allem Nachdruck klarstellen, daß diese illegale Aktion der Zonenmachthaber ein für allemal der Weltöffentlichkeit zeigt, in welchem Teil Deutschlands *»Militarismus und Aggression«* praktiziert werden.

(Lebhafter Beifall im ganzen Hause.)

Noch in ihrer letzten Note vom 3. August 1961[4] hat die Sowjetunion erneut ihre Forderung nach Abschluß eines sogenannten Friedensvertrages und nach Umwandlung des gel-

4. Memorandum der Sowjetregierung über einen Friedensvertrag und die Regelung der West-Berlin-Frage.

tenden Viermächtestatus der Stadt Berlin, und zwar nur des westlichen Teils von Berlin, in eine sogenannte freie Stadt mit der Behauptung begründet, daß diese Maßnahme notwendig sei, um dem angeblichen Militarismus und Revanchismus in der Bundesrepublik zu begegnen. Sie hat erneut versucht, den Eindruck zu erwecken, als ob verantwortliche Kreise in der Bundesrepublik die Absicht hätten, gegen die Sowjetunion oder irgendeinen anderen Staat der Welt kriegerische Maßnahmen vorzubereiten. Jeder, der in die Bundesrepublik kommt, kann sich von dem Gegenteil überzeugen, und die überwältigende Mehrheit aller Staaten der Welt stimmt mit uns in der Bewertung unserer friedlichen und ausschließlich auf die Verteidigung unserer Lebensinteressen ausgerichteten Politik überein.

(Beifall bei der CDU/CSU und bei Abgeordneten der SPD sowie rechts.)

Jeder, der heute nach Ostberlin und in die Zone geht, kann sich durch Augenschein davon überzeugen, daß dort Maßnahmen getroffen worden sind, die im wahren Sinne des Wortes die Bezeichnung militaristisch verdienen.

(Beifall.)

Diese Maßnahmen sind zudem in einem Zeitpunkt ergriffen worden, in dem die ganze Welt nur von der einen Hoffnung erfüllt ist, daß es nicht zu einer kriegerischen Auseinandersetzung kommen möge. In einer solchen an und für sich schon sehr ernsten Situation treiben die Zonenmachthaber durch ihre militärischen Vorbereitungen ein gefährliches Spiel mit dem Feuer.

(Beifall bei der CDU/CSU.)

Die Bundesregierung hält es für unerläßlich, die Weltöffentlichkeit auf die wahren Ursachen dieser Gewaltpolitik hinzuweisen. Nicht die angebliche militaristische und revanchistische Politik der Bundesrepublik hat die Zonenmachthaber veranlaßt, ihre wahren Absichten offenzulegen, sondern das Resultat ihrer ständigen Weigerung, den in der Zone lebenden Deutschen die Lebensordnung zu geben, die diese Menschen haben wollen.

(Lebhafter Beifall auf allen Seiten.)

Es mutet wie eine makabre Groteske an, wenn sich die Vertreter des Ulbricht-Regimes heute hinstellen und erklären, daß die Deutschen in der Zone das *Selbstbestimmungsrecht* bereits ausgeübt hätten.

Der ständige *Flüchtlingsstrom* der vergangenen Wochen und Jahre spricht eine andere Sprache, die Sprache der Wirklichkeit. Es ist aufschlußreich, sich in das Gedächtnis zurückzurufen, wann dieser verstärkte Flüchtlingsstrom erneut einsetzte. Er setzte ein, als die massiven Drohungen des sowjetischen Ministerpräsidenten, einen Friedensvertrag mit der Zone abzuschließen, den Menschen in der Zone die Hoffnungslosigkeit ihrer Situation vor Augen führten. Für diese Menschen wurde der angekündigte Separationsvertrag ein Alpdruck, dem sie unter allen Umständen entrinnen wollten. In ihrer seelischen Verzweiflung sahen diese Menschen keinen anderen Ausweg, als ihre Heimat in der Zone unter Aufgabe von Hab und Gut und unter Gefährdung ihres Lebens zu verlassen, um in der Bundesrepublik ein neues Leben in Freiheit zu beginnen und aufzubauen. Ihr freier Entschluß, ihre Heimat aufzugeben, war die einzige Form, in der sie das ihnen verbliebene persönliche Selbstbestimmungsrecht ausüben konnten. Es blieb ihnen nichts anderes übrig als die »Abstimmung mit den Füßen«, um diesen Ausdruck Lenins zu gebrauchen. Mit dieser Abstimmung haben diese Menschen der Welt gezeigt, was sie wirklich wollen: Sie wollen die Freiheit und nicht die Unfreiheit.

(Beifall bei der CDU/CSU.)

Die Bundesregierung hat sichere Unterlagen dafür, daß trotz einer 16jährigen Terrorherrschaft kommunistischer Funktionäre in der Zone über 90 % der dort lebenden Deutschen das Regime, welches sie unterdrückt, ablehnen, den Sklavenstaat, den man ihnen aufgezwungen hat, verachten und nichts sehnlicher als die Vereinigung mit den in der Freiheit lebenden Deutschen wünschen.

Die Sowjetunion, meine Damen und Herren, behauptet immer wieder, daß der jetzt gültige *Status der Stadt Berlin* eine der Ursachen für die bestehenden Spannungen sei. Es ist nicht nötig zu wiederholen, daß diese Behauptung unrichtig ist. Wohl aber ist es angebracht, nachdrücklich darauf hinzuweisen, daß eine Lösung des Deutschlandproblems auf der Grundlage der Selbstbestimmung der beste, ja der einzige Weg ist, um die Spannungen und Schwierigkeiten auszuräumen.

(Beifall bei der CDU/CSU.)

Eine solche Lösung wäre wirklich ein echter Beitrag zur Erhaltung und Sicherung des Friedens in der Welt.
In dieser ernsten Lage, die durch die Zonenmachthaber heraufbeschworen worden ist, steht die Bundesregierung mit ihren drei westlichen Verbündeten in engster Verbindung. Sie wird gemeinsam mit ihnen die erforderlichen Maßnahmen vorbereiten und durchführen. Die Bundesregierung und ihre Verbündeten sind sich in der Bewertung der der freien Welt drohenden Gefahren einig. Die *Außenminister* der drei Westmächte und der Bundesrepublik sind vor zwei Wochen in *Paris* zu *Beratungen* zusammengetreten. Ich kann, meine Damen und Herren, mit besonderer Genugtuung feststellen, daß diese Beratungen im Geiste vollen gegenseitigen Einvernehmens geführt wurden. Diese Beratungen wurden ergänzt und bestätigt durch eine ausführliche *Konsultation* zwischen den vier Mächten und allen *NATO-Partnern.* Auf diese Weise ist es möglich gewesen, über die Grundlage der westlichen Haltung eine *volle Übereinstimmung* nicht nur zwischen den an der Lösung der Deutschlandfrage unmittelbar beteiligten Westmächten und uns, sondern auch zwischen allen NATO-Partnern zu erzielen. Der amerikanische Außenminister Rusk hat im Anschluß an die mit den Außenministern Frankreichs, Großbritanniens und der Bundesrepublik geführten Besprechungen den NATO-Rat unterrichtet, der bei dieser Gelegenheit erneut und unzweideutig die Entschlossenheit aller NATO-Staaten zum Ausdruck gebracht hat, die Freiheit Berlins aufrechtzuerhalten.

(Beifall auf allen Seiten des Hauses.)

Zugleich hat der NATO-Rat wiederholt die Überzeugung

ausgedrückt, daß eine friedliche und gerechte Lösung der deutschen Frage einschließlich Berlins nur auf der Grundlage des Selbstbestimmungsrechtes des gesamten deutschen Volkes herbeigeführt werden kann.

(Erneuter Beifall.)

Wir werden diese engen Kontakte und die Zusammenarbeit in den nächsten Wochen und Monaten fortsetzen und werden im engsten Einvernehmen miteinander gemeinsam die Schritte ergreifen, die zur Abwehr etwaiger sowjetischer Versuche, die Freiheit Berlins zu beeinträchtigen, erforderlich sind.

Während aber die Westmächte und insbesondere die den freien Teil Deutschlands repräsentierende Bundesregierung bei dem Versuch, diese Probleme einer Regelung zuzuführen, eine geradezu unendliche Geduld bewiesen haben und alles vermeiden, was zu einer Verschärfung oder Zuspitzung der internationalen Lage führen könnte, glaubt die Sowjetunion, diese Probleme durch Billigung illegaler Aktionen der Zonenmachthaber in einer dem Recht und den Erfordernissen der politischen Vernunft widersprechenden Weise lösen zu können. In dieser Lage muß Europa, muß das *Nordatlantische Verteidigungsbündnis* die Maßnahmen vorbereiten, die zur Aufrechterhaltung unserer Sicherheit und Freiheit erforderlich sind. Die Bundesregierung hat mit großer Befriedigung von der ausgezeichneten Erklärung Kenntnis genommen, die der amerikanische Präsident Kennedy am 25. Juli an das amerikanische Volk gerichtet hat[5]. Die Bundesregierung stimmt mit dieser Erklärung vollkommen überein. Auch sie ist der Meinung, daß der Westen sich auf die gegen ihn gerichtete Drohung vorbereiten muß, indem er seine militärischen Kräfte zusammenschließt. Wir wissen, und die Sowjetunion weiß es, daß das militärische Gesamtpotential des Westens demjenigen der Sowjetunion überlegen ist. Daher sind die Drohungen, die die sowjetische

5. Rundfunk- und Fernsehansprache Kennedys mit der Bekundung, für die Freiheit Berlins einzutreten. Kennedy präzisierte hier die Grenzen seiner Verhandlungsbereitschaft.

Regierung von Zeit zu Zeit gegen den einen oder anderen NATO-Partner ausspricht, sie würde sein Gebiet mit Atombomben vernichten, gefährlich. Die sowjetrussische Regierung muß wissen, daß sie durch einen solchen Schlag einen Gegenschlag auslösen würde, der sie selbst vernichten würde.

Auch die Bundesrepublik Deutschland wird im Rahmen der Atlantischen Verteidigungsorganisation ihrerseits Maßnahmen zur Stärkung der militärischen Bereitschaft ergreifen müssen, um die Anstrengungen, die insbesondere durch die Vereinigten Staaten, aber in erheblichem Umfange auch von den anderen NATO-Partnern unternommen werden, zu unterstützen und zu ergänzen. Es ist für uns, meine Damen und Herren, ein Gebot der Selbsterhaltung, daß wir uns in diesem Augenblick, in dem es um Berlins Schicksal, um unser Schicksal, geht, mit unseren westlichen Verbündeten solidarisch erklären und mit ihnen gemeinsam die Anstrengungen unternehmen, die erforderlich sind, um der Gefahr zu begegnen.

(Beifall.)

Wir sind jedoch weit davon entfernt, in militärischen Maßnahmen eine Lösung der künstlich von der Sowjetunion erzeugten Krise zu erblicken. Die Bundesregierung ist nicht davon überzeugt, daß der sowjetische Ministerpräsident einen Krieg auslösen will, der auch sein Land vernichten würde. Die Bundesregierung glaubt, daß es nach wie vor möglich ist, aus der Lage, in der die Welt sich befindet, durch *Verhandlungen* einen Ausweg zu finden.

(Beifall bei der CDU/CSU.)

Sie ist bereit, jeden Ansatz für Verhandlungen zwischen den vier für Berlin und Deutschland als Ganzes zuständigen Mächten zu unterstützen. Die Bundesregierung erachtet es jedoch für unerläßlich, darauf hinzuweisen, daß das einseitige Vorgehen der Zonenmachthaber, das mit Zustimmung der Regierung der UdSSR erfolgt ist, eine Belastung der vom Westen gezeigten Verhandlungsbereitschaft darstellt.

Es gibt nur e i n e Möglichkeit, die Beziehungen zwischen

dem russischen und dem deutschen Volk auf eine neue Grundlage zu stellen: Dem deutschen Volk muß das Recht zurückgegeben werden, das man keinem Volk der Welt verweigert, durch freie und unbeeinflußte Willensentscheidung eine Regierung zu bilden, die dann den legitimen Auftrag besitzt, für das ganze deutsche Volk zu sprechen, zu handeln und zu entscheiden.

(Beifall bei der CDU/CSU und Abgeordneten der SPD und FDP.)

Wie das deutsche Volk über diese brutalen Maßnahmen denkt, wäre leicht zu ermitteln. Es würde genügen, alle Deutschen in der Bundesrepublik, in der sowjetisch besetzten Zone und in ganz Berlin darüber zu befragen. Die Antwort wäre eine leidenschaftliche Verurteilung durch die überwältigende Mehrheit des deutschen Volkes.

(Lebhafter Beifall auf allen Seiten des Hauses.)

Die Bundesregierung hat das Recht und hat die Pflicht, für das ganze deutsche Volk zu sprechen[6], also auch für diejenigen Deutschen, die durch die Gewaltmaßnahmen in der sowjetischen Besatzungszone zum Schweigen verurteilt sind. Sie appelliert eindringlich an die Sowjetunion, in diesem kritischen Augenblick zu einer realistischen Betrachtung der Dinge zurückzufinden. Es sollte unter der Würde eines großen Volkes sein, Kreaturen zu schützen, die vom eigenen Volke verachtet werden.

(Lebhafter Beifall bei der CDU/CSU. – Beifall bei Abgeordneten der anderen Fraktionen.)

Die russische Regierung und das russische Volk sollten sich nicht dazu hergeben, daran mitzuwirken, daß ein Teil eines großen ihnen benachbarten Landes gegen den Willen der Bewohner in ein Konzentrationslager umgewandelt wird.

(Beifall bei der CDU/CSU und Abgeordneten der SPD und FDP.)

Man sollte in Moskau erkennen, daß alle Menschen in der Welt, die sich zu dem mit der Charta der Vereinten Natio-

6. Vgl. Präambel des Grundgesetzes.

nen anerkannten *Selbstbestimmungsrecht* der Völker bekennen, nur eine tiefe Verachtung für ein Regime haben können, das dieses Selbstbestimmungsrecht mit Füßen tritt. Eine Neuordnung der Beziehungen zwischen dem russischen Volk und dem deutschen Volk ist auf dem von den Behörden der Sowjetzone beschrittenen Wege nicht denkbar.

(»Sehr richtig!« bei der CDU/CSU.)

Die Deutschen in der Zone empfinden Haß und Verachtung gegenüber denen, die sie in unmenschlicher Weise vergewaltigen. Und sie müssen ähnliche Gefühle denen gegenüber tragen, die dieses System unterstützen. Die Schließung der Grenzen ist eine beispiellose Bankrotterklärung; sie zeigt, daß die Menschen, die in diesem Teil Deutschlands zu leben gezwungen sind, nur unter Anwendung physischen Zwanges daran gehindert werden können, dieses Paradies der Arbeiter und Bauern zu verlassen.

(Beifall bei der CDU/CSU.)

Die Bundesregierung wird aber die Hoffnung nicht aufgeben, daß alsbald Verhandlungen aufgenommen werden und daß durch sie eine Lösung des Deutschlandproblems und damit der Berlinfrage auf der Grundlage des Selbstbestimmungsrechts der Völker ermöglicht wird. Das Prinzip, daß den Völkern das Recht gegeben werden muß, über ihre staatliche Ordnung selbst zu entscheiden, hat seinen Siegeszug über die ganze Welt angetreten. Die Bundesregierung vertraut darauf, daß es auch im Herzen Europas, wo zur Zeit immer noch 16 Millionen Deutschen dieses Recht verweigert wird, durchgesetzt werden kann.

(Beifall.)

Die Bundesregierung hat mehrfach erklärt und wiederholt es bei dieser Gelegenheit, daß sie bereit ist, an Plänen mitzuwirken, die für den Fall der Wiedervereinigung Deutschlands der *Sowjetunion Sicherheitsgarantien* geben. Zuletzt habe ich noch hier an dieser Stelle am 17. Juni dieses Jahres diese Bereitschaft bekräftigt. An dieser Absicht der Bundesregierung hat sich nichts geändert. Die Wiederherstellung der deutschen Einheit würde nicht nur dem Frieden, sondern

auch dem richtig verstandenen Sicherheitsinteresse der Sowjetunion und allen anderen Völkern dienen.
(Beifall bei der CDU/CSU und Abgeordneten der SPD und FDP.)
Die drei westlichen Verbündeten, die im Rahmen der Viermächtevereinbarung eine besondere Verpflichtung für Berlin und für Deutschland übernommen haben, haben einen nachdrücklichen *Protest* und eine ernste Mahnung *an die Sowjetunion* gerichtet. Sie haben die ergriffenen Maßnahmen als illegal und als einen unverantwortlichen einseitigen Bruch der bestehenden Vereinbarungen bezeichnet. Sie haben mit Recht die verlogene Behauptung zurückgewiesen, die in der sogenannten Empfehlung der Staaten des Warschauer Paktes enthalten ist, daß nämlich diese Maßnahmen im eigenen Interesse des deutschen Volkes liegen; und sie haben betont, daß diese Behauptung nichts anderes darstellt als eine Einmischung in die inneren Verhältnisse des deutschen Volkes.
(Beifall bei der CDU/CSU und Abgeordneten der SPD und FDP.)
Die Bundesregierung appelliert aber auch an die Regierungen aller Nationen der Welt, die die Charta der Vereinten Nationen unterzeichnet oder anerkannt haben. Die Maßnahmen, die von den sowjetzonalen Behörden durchgeführt werden und angekündigt wurden, sind nichts anderes als ein flagranter Verstoß gegen dieses Grundgesetz, das für die innere Ordnung der Völker der Welt ebenso gültig sein soll wie für die Beziehungen zwischen den Nationen.
Mit tiefer Bewegung gedenkt die Bundesregierung aber auch der *persönlichen Schicksale* von vielen Millionen, die ein Opfer dieser unmenschlichen Maßnahmen geworden sind. Nahezu dreieinhalb Millionen sind in den zurückliegenden Jahren aus der Zone und dem Ostsektor von Berlin geflohen, weil ihnen keine andere Möglichkeit blieb, ein Leben in Freiheit zu führen. Unter Aufgabe ihres Berufes, unter Zurücklassung von Hab und Gut haben sie sogar die menschlichen Beziehungen abgebrochen, die sie mit ihrer Familie, mit ihren Verwandten, mit ihren Freunden verbanden. Für

unzählige Menschen, die den gleichen Weg gehen wollten, ist nun die Tür zugeschlagen worden. Die Bundesregierung gibt der Hoffnung, aber auch der Überzeugung Ausdruck, daß am Beginn der auch von ihr gewünschten Verhandlungen die Aufhebung dieser Maßnahmen stehen wird.

(Beifall.)

Nichts könnte das deutsche Volk besser davon überzeugen, daß solche Verhandlungen der Aufrechterhaltung des Friedens in der Welt und einer dauerhaften Neuordnung der Beziehungen zwischen den Völkern dienen, als eine solche Maßnahme.

Es genügt nicht, meine Damen und Herren, von Frieden zu sprechen; dem mündlichen Bekenntnis müssen Taten folgen,

(»Sehr wahr!« bei der SPD)

die erkennen lassen, daß der Friede nicht nur zwischen, sondern erst recht und ganz besonders in den Völkern bestehen muß.

(Beifall.)

Jeder einzelne hat ein Recht darauf, in Frieden zu leben. Die Unfreiheit ist die schauerlichste Form der Friedlosigkeit.

Lassen Sie mich zum Schluß einige Sätze an die *Bewohner des Ostsektors von Berlin und der Zone* richten. I h r Leid und I h r e Sorge ist u n s e r Leid und u n s e r e Sorge.

(Allgemeiner starker Beifall.)

In Ihrer so besonders schweren Lage fanden Sie wenigstens in dem Gedanken Trost, daß Sie, wenn Ihr Los nicht mehr tragbar sei, ihm durch die Flucht entgehen könnten. Es sieht jetzt so aus, als wenn Ihnen auch dieser Trost genommen ist. Ich bitte unsere Brüder und Schwestern im Ostsektor von Berlin und in der Zone von Herzen: Geben Sie die Hoffnung auf eine bessere Zukunft für Sie und Ihre Kinder nicht auf.

(Beifall.)

Wir sind überzeugt, daß es den Anstrengungen der freien Welt und insbesondere auch unseren Anstrengungen doch eines Tages gelingen wird, Ihnen die Freiheit wieder zu verschaffen.

(Erneuter Beifall.)

Das Selbstbestimmungsrecht wird seinen Siegeszug durch die Welt fortsetzen und wird auch vor den Grenzen der Zone nicht haltmachen. Sie werden eines Tages – glauben Sie es mir – mit uns in Freiheit vereint sein. Wir stehen nicht allein in der Welt, das Recht steht auf unserer Seite, und auf unserer Seite stehen die Völker der Welt, die die Freiheit lieben.

(Anhaltender starker Beifall bei der CDU. – Beifall bei Abgeordneten der SPD und der FDP.)

[...]

Präsident D. Dr. Gerstenmaier: Das Wort hat der Herr Abgeordnete Behrisch[7].

(Unruhe.)

Behrisch (fraktionslos): Herr Präsident! Meine Damen und Herren! Wir alle sind durch das, was in Berlin geschehen ist, erschüttert. Wie könnte es anders sein?

(Zuruf von der Mitte.)

Aber erschütternder, meine Damen und Herren, ist noch die vollkommene, auch hier wieder sichtbar gewordene Blindheit gegenüber den Ursachen der Ereignisse. Wir sind dabei, die *Schuld* zu suchen, und fragen: Wer trägt die Schuld? Man kann auch sagen: Wer trägt nicht mit an ihr? Aber wenn wir jetzt die Schuldigen suchen und schon dabei sind, auch bei den Verbündeten nach der Schuld zu suchen, dann wäre es doch eigentlich an der Zeit, zu fragen: Wie weit sind w i r an diesen Dingen schuld?

Der Herr Präsident hat in einem anderen Zusammenhang einmal das Wort vom *Ursachenzusammenhang* in der Politik geprägt. Ich glaube, daß das ein wahres Wort ist und daß es uns weiterhilft. Ein Freund unseres Landes, ein Freund der

7. Arno Behrisch (geb. 1913), Mitglied der SPD, seit 1949 Bundestagsabgeordneter, während der 3. Legislaturperiode Austritt aus der SPD und fraktionsloses Mitglied des Bundestags, der DFU (vgl. Anm. 19) nahestehend.

Einheit Deutschlands, ein Demokrat, ein Weltbürger, Ministerpräsident Nehru[8], hat hier in Bonn einmal zu diesem Stichwort gesagt: »Aber das Heute steht nicht isoliert in der Luft. Heute ist das Kind von Gestern und der Vater von Morgen, und nicht nur das Kind von Gestern, sondern von alledem, was vorausgegangen ist. Die ganze vergangene Geschichte hat das Heute hervorgebracht.«
Schauen wir ein wenig zurück, so müssen wir sagen: Wir hätten das, was über uns gekommen ist, ja nicht erlebt, wenn wir nicht 1933 den falschen Leuten die Macht gegeben hätten. In Jerusalem ist davon im Augenblick viel die Rede.[9]
Wir müssen uns fragen, wie die Situation wohl wäre, wenn der § 9 Abschnitt 4 des Potsdamer Abkommens[10], der uns die österreichische Lösung[11] und den österreichischen Weg offenhielt, nicht verhindert worden wäre. Wir müssen uns auch fragen, wo wir stünden, wenn das Wirklichkeit geworden wäre, was auf der Moskauer Außenministerkonferenz im März 1947 gefordert wurde, nämlich freie und geheime Wahlen unter internationaler Kontrolle in ganz Deutschland. Leider sind auch Freunde von uns damals auf diese Forderung nicht eingegangen.
Ich möchte meinen, meine Damen und Herren, wir sind in dieser Krise und in dieser Misere, weil wir uns von einigen Grundwahrheiten aller Politik und Diplomatie entfernt haben. Wenn nämlich Politik die Kunst des Möglichen ist, dann kann man sich nicht dem Wunschdenken hingeben. In

8. Jawaharlal Nehru (1889–1964), bedeutender indischer Politiker, zuletzt Ministerpräsident. Bekanntgeworden durch seine Politik der Nichteinmischung und der friedlichen Koexistenz.
9. Anspielung auf den am 11. April 1961 in Jerusalem eröffneten Prozeß gegen den ehemaligen Leiter des SS-Judenreferats im Reichssicherheitshauptamt Adolf Eichmann.
10. Behrisch meint hier wahrscheinlich den Punkt 9 aus Teil III, in dem die politischen Grundsätze für die Behandlung Deutschlands niedergelegt sind. In Abschnitt 4 von Punkt 9 heißt es, daß bis auf weiteres »keine zentrale deutsche Regierung« errichtet wird.
11. Am 15. Mai 1955 wurde zwischen den Besatzungsmächten und Österreich ein Staatsvertrag geschlossen, der die Besatzung aufhob und die Neutralität Österreichs festlegte.

dieser Berlinkrise zeigt sich doch wohl, daß es wahr ist, was Bismarck sagte: daß alle Völker sich an i h r e n Interessen orientieren. Es wäre also Aufgabe der deutschen Politik gewesen, nachdem wir alle darin übereinstimmen, daß Frieden und Wiedervereinigung die obersten deutschen Interessen sind – –

(Zurufe von der CDU/CSU: »Freiheit!«)

– Einheit in Freiheit, selbstverständlich! Sie dürfen mir glauben, meine Damen und Herren, daß ich es anders nie verstanden habe und nie verstehen werde.

Wenn wir für *Frieden und Einheit in Freiheit* sind, wenn das das oberste Interesse ist, dann hätten wir die Mittel der Politik und der Diplomatie einsetzen müssen, um festzustellen: Wie ist das Verhältnis der Nachbarn, wie ist ihr Interesse mit diesem deutschen Hauptinteresse vereinbar? Und dann beginnt die Politik, dann muß man, wenn es sich stößt, versuchen, einen Kompromiß zu finden. So immer war Politik.

(Abg. Dr. Krone[12]: »Ist in der Zone Freiheit?«)

– Herr Kollege, wir müssen uns darüber nicht unterhalten, weil wir darüber völlig einig sind.

(Abg. Dr. Krone: »Dort ist keine Freiheit, gut!«)

Meine sehr verehrten Damen und Herren, ich sagte mit Bismarck: Alle Völker orientieren sich an ihren Interessen. Sie sehen jetzt ganz deutlich in der Berlinkrise, daß wir die Interessen der Verbündeten zumindest in der Rangordnung falsch eingeschätzt haben. Nun, wir haben bisher nie ernsthaft nach einem Kompromiß in dieser entscheidenden Frage mit denen gesucht, die das Faustpfand in der Hand haben.

(Abg. Dr. Schmid[13] [Frankfurt]: »Sind Sie bereit, denen zu sagen, daß es unmoralisch ist, wenn sie das tun?«)

– Herr Professor Carlo Schmid, Leute, die auch etwas von Politik verstehen wie etwa Präsident Paasikivi[14], der sein

12. Heinrich Krone (geb. 1895), CDU-Politiker und enger Freund Adenauers.

13. Carlo Schmid (1896–1979), SPD-Politiker und langjähriger Bundestags-Vizepräsident.

14. Juho Kusti Paasikivi (1870–1956), von 1946 bis 1956 finnischer Staatspräsident.

Land zweimal davor bewahrt hat, verschluckt zu werden, nachdem Abenteurer es an den Abgrund gesteuert hatten, sind der Meinung, daß Großmächte sich nicht an der Moral zu orientieren pflegen, sondern an ihren Interessen. Wir sollten das wissen.

(Zuruf von der CDU/CSU: »Das ist Ihre Meinung?«)

– Das zeigt sich.

Meine sehr verehrten Damen und Herren, ich komme noch einmal auf Bismarck zu sprechen, der uns sagte: Es war stets ein Fehler der Deutschen, alles erreichen zu wollen oder nichts und sich eigensinnig auf eine bestimmte Methode zu versteifen. Wir haben es, um mit ihm weiter zu sprechen, an politischem Augenmaß fehlen lassen.

(Abg. Dr. Barzel[15]: »Wann sprechen Sie endlich von der Schuld der Sowjetunion?«)

Wir haben die Tatsachen der Geographie und der Geschichte mißachtet, und wir haben uns, was uns auch Nehru in Bonn sagte, nicht dazu durchringen können, für das richtige Ziel auch die richtigen Mittel zu finden.

(Abg. Dr. Barzel: »Sind wir also schuld?«)

– Ich habe das nicht gesagt, Herr Barzel.

(Abg. Dr. Barzel: »So ist aber der Inhalt Ihrer ganzen Rede!«)

– Nein! Ich bin nur der Meinung, daß man aufhören muß, schwarz-weiß zu malen, weil Sie damit nicht weiterkommen und weil hier in vielen Stücken eben doch die Lebensinteressen mächtiger Völker, nicht nur die unseren, auf dem Spiel stehen.

Das Kriterium für jede Rüstungspolitik sind die Ereignisse, die auf die Rüstung folgen. Wir haben ein solches Ereignis vor uns. Ich erinnere mich, daß es Wilhelm Mellies[16] war, der sagte, als wir uns auf dieses Wettrüsten einließen: Ohne Bündnislosigkeit keine Einheit!

15. Rainer Candidus Barzel (geb. 1924), CDU-Politiker, damals Mitglied des Bundesvorstands der CDU.

16. Wilhelm Mellies (1899–1958), SPD-Politiker, stellvertretender Vorsitzender der SPD.

Eine große Frankfurter Zeitung hat dieser Tage richtig geschrieben – ich muß das meinen ehemaligen Freunden von der Sozialdemokratie sagen –: Die SPD sagt nicht die unbequeme Wahrheit, daß nämlich die Berlinkrise das Resultat jener monumentalen Fehleinschätzung ist, auf der die westliche *Politik der Stärke* seit 1952 beruht. Nun ruft man nach allerlei Maßnahmen aus diesem Lande. Ich habe in dieser Debatte feststellen können, daß diese Seite des Hauses (nach links) weiter geht als diese Seite, weil diese Seite, die Regierung, wohl schon das Gefühl hat, daß es ohne *Verhandlungen* nicht gehen wird.
Meine sehr verehrten Damen und Herren, Panzer und Stacheldraht in Berlin sind eine ungeheuerliche Sache. Aber wer Panzer und Stacheldraht aus Berlin heraus haben will, muß wissen, daß er sie ohne Verhandlungen nicht beseitigen kann. Vielleicht würde unser Herr Bundesverteidigungsminister einen ersten Beitrag zur Verhandlungsatmosphäre dadurch liefern, daß er zum Beispiel die Einberufung von Reservisten stoppt; denn ich glaube, daß solche Gesten das Verhandlungsklima günstiger stimmen.
Ich habe mir erlaubt, am 13. Juni, als es in diesem Hause keine Debatte gab, obwohl es besser gewesen wäre, wir hätten damals eine geführt, weil man ja die Dinge schon kommen sah, eine deutsche Friedensregelung vorzuschlagen. Ich habe sie der Presse und den Botschaftern zugänglich gemacht. Es freut mich, daß der Herr Regierende Bürgermeister später zu demselben Vorschlag kam, den ich am 30. Juni[17] gemacht habe, nämlich *Einberufung einer Friedenskonferenz* aller Staaten, die gegen Deutschland im Kriege gestanden haben.
Wir sind es uns selbst schuldig, für eine Atmosphäre der Entspannung zu sorgen, etwas dafür zu tun, daß unser deutscher Raum atomwaffenfrei bleibt oder atomwaffenfrei wird. Ich habe das in meinen Vorschlägen drin. Ich habe darin auch die Vorstellung, daß das wiedervereinigte

17. wahrscheinlich 13. Juni.

Deutschland seine Garantien durch die Vereinten Nationen bekommt, und ich habe mich vor allem bemüht, dem Thema Berlin gerecht zu werden. Ich möchte Ihnen das zum Schluß zum Gehör bringen.
Meine Vorstellungen über *Berlin* waren die: Der Friedensvertrag bestimmt Berlin als Hauptstadt eines wiedervereinigten Deutschlands. Bis dahin verpflichten sich alle Teilnehmerstaaten der Friedenskonferenz, den von der gleichen Konferenz ausdrücklich vereinbarten Status Westberlins als Interimslösung zu respektieren. Für Deutschland ist dabei jede Interimslösung annehmbar, die die völlige Freiheit der Westberliner Bevölkerung garantiert, innerhalb Westberlins über ihre Angelegenheiten auf der Grundlage einer unangetasteten Demokratie selbst zu bestimmen, und die die Verbindung Westberlins mit der Bundesrepublik und dem übrigen westlichen Ausland eindeutig sicherstellt. Die Bundesrepublik wird in den Kreis der Garantiemächte für die Nichteinmischung in die inneren Angelegenheiten Westberlins durch ausländische Mächte einbezogen, und alle Teilnehmerstaaten verpflichten sich, auf die aus dieser Interimslösung ihnen eventuell zukommenden Rechte in Westberlin zu verzichten, wenn die Einheit Deutschlands wiederhergestellt ist.
Meine Wiege stand in Mitteldeutschland, und ich habe alle meine Angehörigen in Mitteldeutschland. Sie dürfen mir glauben, daß mir die Frage der deutschen Einheit eine Herzensfrage ist, und Sie dürfen mir im Hinblick auf meinen politischen Weg glauben, daß mir die Einheit in Freiheit eine Herzenssache ist. Aber – –

Präsident D. Dr. Gerstenmaier: Einen Augenblick, Herr Abgeordneter!
Es wird mir soeben gesagt, daß hier ohne meine Genehmigung auf der Pressetribüne Aufnahmen gemacht werden. Ist das richtig? – Sie verlassen sofort das Haus!
(Zuruf: »Band beschlagnahmen!«)
Sie haben hier ein eigenes Aufnahmegerät.

(Abg. Dr. Mommer[18]: »Behrisch spricht für den Ostrundfunk!«)

Sie verlassen sofort das Haus! Der Ordnungsdienst – –

(Zurufe von der CDU/CSU: »Er hat die Aufnahme dabei! – Das Band beschlagnahmen!«)

– Beruhigen Sie sich, meine Damen und Herren!
Fahren Sie bitte fort, Herr Abgeordneter!

Behrisch (fraktionslos): Meine sehr geehrten Damen und Herren! Ich glaube, daß wir aus der Misere, in der wir uns befinden, nur durch Verhandlungen herauskommen können, und meine Freunde von der Deutschen Friedensunion[19] sind der Meinung: Wer Frieden und Einheit will, muß Verhandlungen wollen; aber er muß sie nicht nur wollen, er muß sie endlich führen. Ich glaube, es ist hoch an der Zeit.

Präsident D. Dr. Gerstenmaier: Noch eine Wortmeldung? – Bitte, Herr Abgeordneter Neubauer[20].

Neubauer (SPD): Herr Präsident! Meine Damen und Herren! Als Abgeordneter dieses Hauses, der bis zum Beginn der zurückliegenden Ereignisse unmittelbarer Vertreter der Ostberliner Bevölkerung in diesem Hause war, möchte ich mit ein paar Sätzen auf die Ausführungen, die mein Vorredner gemacht hat, antworten.
Er hat vorgegeben, erschüttert zu sein. Aber er hat vergessen, während seiner Ansprache auch nur einen einzigen Satz darüber auszusagen, ob er bereit ist, vor diesem Haus und vor der Welt diejenigen anzuklagen, die vor einigen Tagen brutal auf die Ostberliner Bevölkerung eingeschlagen haben.

(Lebhafter Beifall auf allen Seiten des Hauses.)

18. Karl Mommer (geb. 1910), SPD-Politiker.
19. Deutsche Friedensunion (DFU), 1960 gegründete Partei; sie betrachtete die Neutralisierung der BRD und die Verständigung mit der DDR als ihre wesentlichsten Ziele.
20. Kurt Neubauer (geb. 1922), Mitglied des Landesvorstands der Berliner SPD, seit 1952 im Bundestag.

Wer sich in dieser Zeit bemüht, auch noch Entschuldigungen für diese Handlungsweise zu finden, identifiziert sich mit dieser Handlungsweise.
(Erneuter lebhafter Beifall auf allen Seiten des Hauses. – Abg. Wacher: »Herr Neubauer, das hat Herr Behrisch schon beim Ungarnaufstand getan, und da wurde nichts gesagt!«)
Wer sich aber mit dieser Handlungsweise identifiziert, muß sich auch gefallen lassen, so behandelt zu werden, wie diejenigen behandelt werden müssen, die für diese Ereignisse verantwortlich sind.
Er hat hier eine Rede gehalten, der man nicht entnehmen konnte, was er eigentlich will.
(Zurufe: »Sehr gut!«)
Wenn man das wissen will, muß man seine Reden im Lande kennen. Er hat ganz offenbar die Funktion übernommen, die die Kommunisten oftmals anderen zugedacht haben: demokratische Parteien zu diffamieren, in demokratische Parteien einzudringen, damit die Demokratie zu zerstören.
(Zuruf von der CDU/CSU: »Das hat er schon jahrelang getan!«)
Meine Damen und Herren! Es wäre notwendig gewesen, daß Herr Behrisch für unsere demokratischen Freunde in Ostberlin wenigstens jenes Maß an Freiheit gefordert hätte, das er für sich als Abgeordneter dieses Hauses in Anspruch nimmt.
(Beifall auf allen Seiten des Hauses.)
Ich darf daher mit aller Entschiedenheit im Namen der Frauen und Männer, die jetzt seit Tagen im Gefängnis sitzen, dagegen protestieren, daß ein Abgeordneter dieses Hauses die Schuld bei allen, nur nicht bei den Tätern der letzten Tage sucht.
(Anhaltender lebhafter Beifall auf allen Seiten des Hauses.)

Präsident D. Dr. Gerstenmaier: Keine weiteren Wortmeldungen? – Dann, meine Damen und Herren, lassen Sie mich in dieser ernsten Stunde in wenigen Sätzen das zusammen-

fassen, in dem, wie ich glaube, dieses Haus, mit einer Ausnahme, einig ist.
Ich glaube, daß der *Deutsche Bundestag* als oberste gesetzgebende Körperschaft und als Sprecher des ganzen deutschen Volkes in diesem Augenblick *einig* ist *in dem Willen zum Widerstand*, zum besonnenen, aber ganz entschlossenen Widerstand gegen den Terror und die Unmenschlichkeit, die in der sowjetisch besetzten Zone Deutschlands, gewiß nicht nur und nicht erst seit dem 12. August 1961, sondern schon seit Jahr und Tag, brutal geübt werden. Gegen diesen Terror befinden wir uns im Widerstand. Wir sind aber auch im Widerstand gegen den von den Warschauer-Pakt-Staaten vertretenen oder mindestens gebilligten Bruch von Verträgen, von internationalen, von völkerrechtlichen Abmachungen.
Wir sind zweitens auch in dieser Stunde einig, wie wir es in diesen Jahren immer gewesen sind, in der *Solidarität mit den Unterdrückten* und mit den Terrorisierten, mit denen, die seit Jahr und Tag hinter den Zonen- und Sektorengrenzen erniedrigt und beleidigt werden. In dieser Solidarität erweist sich die Kraft der Deutschen, auch im geteilten Deutschland e i n e Nation zu sein und hoffentlich auch e i n e Nation zu bleiben. Und wir sind bei aller Vielfalt der Töne, die wir hier gehört haben, einig in der *Solidarität mit der freien Welt* und ihren Schutzorganisationen, deren Wertes und deren Bedeutung wir uns, wiederum nicht erst in dieser Stunde, aber in dieser Stunde in ganz besonderem Maße, wohl bewußt sind.

(Beifall.)

Und drittens: Dieser Bundestag ist hoffentlich ebenso wie der kommende völlig einig in der Treue zur Freiheit, und das heißt heute: einig mit dem ganzen deutschen Volke in dem Willen, das *Selbstbestimmungsrecht für ganz Deutschland* und alle, die darin wohnen, zu verwirklichen.
Ich nehme den Ton noch einmal auf, der kein billiges Wort sein soll, den Ton des Trostes und des Mutes an die, die hinter den Sektoren- und hinter den Zonengrenzen leiden. Ich glaube, es gibt reale Tatsachen, auf Grund deren wir

ihnen zurufen können: In der Tat, laßt den Mut und laßt die Hoffnung nicht sinken!
Der Bundestag bekennt sich erneut und feierlich zur Charta der Vereinten Nationen und den in ihr proklamierten Menschenrechten

(starker Beifall auf allen Seiten des Hauses)

– sie sind für uns kein leeres Wort –, einschließlich ihres Artikels 1 mit dem Bekenntnis zum Selbstbestimmungsrecht der Völker. Der Bundestag hat damit auch in dieser Stunde entsprechend dem Sinn und Geist des Grundgesetzes gehandelt, das ihm auferlegt, für alle Deutschen das Wort zu führen. Wir stehen treu und gehorsam heute und morgen zu der Forderung des Grundgesetzes im Schlußsatz seiner Präambel: »Das gesamte Deutsche Volk bleibt aufgefordert, in freier Selbstbestimmung die Einheit und Freiheit Deutschlands zu vollenden.« Dafür dienen wir, daran glauben wir!
Ich danke Ihnen.
Die Sitzung ist geschlossen.

(Beifall.)

9. Walter Ulbricht an die Bevölkerung der DDR zum Bau der Berliner Mauer

Am gleichen Tag, an dem in Bonn der Bundestag zu seiner Sondersitzung zusammentrat (vgl. S. 77), hielt der Staatsratsvorsitzende der DDR, Walter Ulbricht, im DDR-Fernsehfunk eine längere Rede, in der er die Vorgänge in Berlin aus seiner Sicht kommentierte und interpretierte.
Diese Rede ist im folgenden etwa um die Hälfte gekürzt wiedergegeben.

Literaturhinweise: Außer den zu Text 8 genannten Titeln: Deuerlein, Ernst (Hrsg.): DDR. Geschichte und Bestandsaufnahme. München 1966. (dtv 347.) – Stern, Carola: Ulbricht. Eine politische Biographie. Frankfurt a. M. u. Berlin 1966. (Ullstein Taschenbuch 574/575.)

Meine lieben Bürger der Deutschen Demokratischen Republik und liebe Freunde in Westdeutschland und Westberlin!
Ereignisreiche Tage liegen hinter uns. Hier und da gingen die Wogen etwas hoch. Sie glätten sich allmählich. Die von Schöneberg und Bonn künstlich geschürte Aufregung ist abgeebbt. Natürlich müssen wir weiterhin wachsam sein. Aber das Leben geht seinen ruhigen Gang. Sie erwarten mit Recht, daß ich als Vorsitzender des Staatsrates[1] der Deutschen Demokratischen Republik einiges zu den Geschehnissen und zu der neuen Situation sage.
Doch zuvor drängt es mich, den prächtigen Söhnen und Töchtern unserer Werktätigen, die gegenwärtig Uniform tragen, den prächtigen Jungen in der Nationalen Volksarmee und in der Volkspolizei, den Unteroffizieren, Offizieren und Generalen unserer bewaffneten Kräfte im Namen des Staatsrates, im Namen der Regierung der Deutschen Demokratischen Republik und im Namen der Partei der Arbeiterklasse herzlichen Dank zu sagen. Sie haben die erfolgreiche Aktion vom 13. August hervorragend und diszipliniert, mit großartigem Kampfgeist und großartiger Moral durchgeführt. Der Dank gebührt auch all den Werktätigen der Betriebskampfgruppen[2], die mustergültig ihre Pflicht gegenüber der Arbeiterklasse und der Republik erfüllt haben. Der Dank gebührt allen Angehörigen unseres Staatsapparates, der hier bewiesen hat, daß er zu großen Leistungen fähig ist.
Sie alle haben dazu beigetragen, erfolgreich die Grenzen der Deutschen Demokratischen Republik zu schützen, die nationale und internationale Autorität des ersten deutschen Ar-

1. Der Staatsrat ist nach Art. 66, Abs. 1 der Verfassung der DDR Organ der Volkskammer und nimmt zwischen den Tagungen der Volkskammer alle Aufgaben wahr, die sich aus deren Gesetzen und Beschlüssen ergeben. De facto ist der Staatsrat Regierung; das Amt des Staatsratsvorsitzenden konzentriert, wenn es wie bei Ulbricht mit dem Amt des 1. Sekretärs der SED vereinigt ist, unumschränkte Macht in einer Hand.
2. Militärische Verbände, die seit 1952 in allen Betrieben und Behörden bestehen und vor allem auch für innenpolitische Krisensituationen gedacht sind.

beiter-und-Bauern-Staates zu erhöhen. Sie alle haben dem Frieden und der Sache der deutschen Nation einen großen Dienst erwiesen.
Im Namen der ganzen Bevölkerung der Deutschen Demokratischen Republik möchte ich auch dem Sowjetvolk und der Regierung der UdSSR sowie allen anderen Regierungen der Teilnehmerstaaten des Warschauer Vertrages herzlich danken für die große Hilfe und Unterstützung, die sie dem gerechten Kampf unserer Deutschen Demokratischen Republik gewähren. Herzliche Grüße senden wir auch den Soldaten und Offizieren der sowjetischen Streitkräfte, die hier in dem deutschen Arbeiter-und-Bauern-Staat gemeinsam mit unserer Nationalen Volksarmee auf Friedenswacht stehen.
Die Arbeiter und mit ihnen alle ehrlichen Werktätigen der Deutschen Demokratischen Republik atmen erleichtert auf. Das Treiben der Westberliner und Bonner Menschenhändler und Revanchepolitiker hatten alle satt. Mit wachsendem Zorn hatten sie zugesehen, wie sie von dem militaristischen Gesindel für dumm gehalten und bestohlen wurden. Unsere Geduld wurde von den Bonner Militaristen für Schwäche angesehen. Ein peinlicher Irrtum, wie sich inzwischen erwiesen hat.
Sie wissen, meine verehrten Zuhörer, daß wir jahrelang beharrlich vorgeschlagen haben, alle irgendwie strittigen Fragen durch friedliche Verhandlungen und durch Vereinbarungen zu lösen. Auch das Memorandum der Sowjetunion[3], das Ministerpräsident Chruschtschow in Wien dem Präsidenten der USA, Kennedy, übergab, wie der von der Volkskammer der Deutschen Demokratischen Republik beschlossene Friedensplan[4] des deutschen Volkes atmen den Geist der Ver-

3. Memorandum zur Deutschlandfrage vom 4. Juli 1961 mit der Forderung: Einberufung einer Friedenskonferenz binnen 6 Monaten zwecks Abschlusses eines Friedensvertrages mit Deutschland und Umwandlung Westberlins in eine entmilitarisierte Freie Stadt.
4. Die Volkskammer beschloß am 6. Juli einen Friedensplan: Schaffung einer Deutschen Friedenskommission zur Entwicklung der Friedensvertragsvorschläge und Regelung der West-Berlin-Frage auf der Grundlage eines Friedensvertrages.

ständigung: Sie sind getragen von dem Willen, den Frieden zu sichern und alles zu tun, um den Völkern Europas und der Welt einen neuen militärischen Zusammenstoß zu ersparen. Diese Schritte der Sowjetunion und der Deutschen Demokratischen Republik im Interesse der friedlichen Lösung der strittigen Fragen waren aber nur die letzten Glieder einer langen Kette von Verhandlungsangeboten und Vorschlägen, wie die Probleme friedlich gelöst werden können.

Aber wie haben die unbelehrbaren westdeutschen Militaristen und Revanchepolitiker auf unsere Angebote geantwortet? Die Regierung in Bonn hat sie ebenso abgelehnt wie die mehr als hundert vorangegangenen Angebote. Kriegsminister Strauß beschleunigte die atomare Ausrüstung der unter dem Befehl von Hitlergeneralen stehenden Bonner NATO-Armee. Er erklärte in frechem Übermut, der Zweite Weltkrieg sei noch nicht beendet. Er knüpfte direkt an die abenteuerlichen Pläne Hitlers und Himmlers an. [...]

Viele Bürger der Deutschen Demokratischen Republik haben uns die Frage gestellt, weshalb wir denn so lange warteten, weshalb wir nicht schon früher die notwendigen Maßnahmen durchführten. Ich möchte ganz offen antworten: Einmal hatten wir den Wunsch, jede, aber auch jede Verständigungsmöglichkeit auszuschöpfen. Wir hatten rechtzeitig die Kriegsvorbereitungen der Bonner Regierung entlarvt. [...]

Ich muß schon sagen: Die Herren Adenauer und Strauß und ihre Hitlergenerale und Helfershelfer von Globke und Lemmer[5] bis zu Brandt haben bei ihrem Versuch, die Deutsche Demokratische Republik aufzurollen, keinen besonderen Einfallsreichtum bewiesen. Es gibt ja schließlich genügend Leute, die sich noch genau daran erinnern, wie Hitler seinen Überfall auf die Tschechoslowakei und dann auf Polen vorbereitet hat. Damals brachten der Rundfunk, der *Völkische*

5. Hans Globke (1898–1973), von 1953 bis 1963 Staatssekretär im Bundeskanzleramt, enger Vertrauter Adenauers. – Ernst Lemmer (1898–1970), CDU-Politiker, damals Minister für gesamtdeutsche Fragen.

Beobachter[6] und die ganze Meute der Nazi-Presse wochen- und monatelang tagtäglich Meldungen von den armen bejammernswerten Flüchtlingen, von dem alten Mütterchen, das mit einem ganzen Schock kleiner Kinder über Grenzbäche und sonstige Hindernisse sprang, nur um sich »Heim ins Reich«, in die »Freiheit«, zu retten. Dazu kam eine verlogene Propaganda über Selbstbestimmung; Selbstbestimmung nämlich nach dem Rezept der deutschen Imperialisten, die selbst bestimmen wollten, welches Land ihre nächste Beute sein sollte.
In genau derselben Weise, ja sogar mit wortwörtlich genau denselben Schlagzeilen in der militaristischen westdeutschen Presse und nicht zuletzt in den Zeitungen, die dem Herrn Brandt und seiner Mannschaft zur Verfügung stehen, wurde 1961 versucht, die Deutsche Demokratische Republik zu diffamieren, ihre Bürger zu verwirren, bei Leuten mit schwachem Standvermögen Panik auszulösen und den Boden für die Aggression zu bereiten.
Für jeden, der Augen hat zu sehen und Ohren zu hören, wurde es offenkundig, daß Westberlin in der Tat ein äußerst gefährlicher Kriegsbrandherd ist, der zu einem zweiten Sarajevo[7] werden kann. Immer mehr Menschen in Deutschland wie auch in anderen Ländern kamen zu der Einsicht, daß es nicht mehr genügt, allgemein über den Frieden zu reden. Es mußte vielmehr dafür gesorgt werden, daß der Brand, der in Westberlin angeblasen worden war und der auf die Häuser der Nachbarn überspringen sollte, rechtzeitig unter Kontrolle kam.
Es war *unsere Aufgabe*, das zu tun. Denn schließlich befindet sich dieses Westberlin inmitten *unseres* Territoriums und innerhalb der Grenzen *unseres* Staates. *Unser* Haus sollte

6. 1920 von den Nationalsozialisten als Wochenzeitung gekauft, 1922 Tageszeitung. Von 1933 bis 1945 offizielles Organ von Partei und NS-Regierung, berüchtigt wegen des Stils der Artikel.
7. In Sarajevo wurde am 28. Juni 1914 der österreichische Thronfolger Franz Ferdinand (geb. 1863) von einem bosnischen Nationalisten ermordet. Der Mord war Anlaß für die Julikrise 1914, die zum Ausbruch des Ersten Weltkriegs führte.

zuerst angezündet werden. Wir hatten also auch die Verantwortung dafür, daß dieser Brandherd unter Kontrolle kam. Es kommt hinzu, daß wir als Teil des sozialistischen Lagers, als sozialistischer Staat, die hohe Verpflichtung haben, die Politik der friedlichen Koexistenz, die die ganze Welt braucht, nicht durch wahnwitzig gewordene westdeutsche Militaristen und ihre Westberliner Ableger stören zu lassen.

Wir haben – so glaube ich – einen wichtigen Beitrag zum Frieden geleistet, indem wir die Grenzen der Deutschen Demokratischen Republik gegenüber Westberlin und gegenüber Westdeutschland gesichert haben. Wir haben uns bei unseren Maßnahmen an die Vereinbarungen mit der Sowjetunion und mit den anderen Staaten des Warschauer Vertrages gehalten, die uns verpflichten, die Grenzen unseres Staates wirksam zu schützen und unter Kontrolle zu halten.

Jeder von Ihnen weiß, daß die Maßnahmen korrekt, schnell, exakt und erfolgreich durchgeführt worden sind.

Was haben die Staatsmacht der Deutschen Demokratischen Republik, die Nationale Front[8], die bewaffneten Streitkräfte, die Kampfgruppen usw. durch ihren entschlossenen und mutigen Einsatz erreicht?

Ich habe schon darauf hingewiesen, daß wir den Kriegsbrandherd Westberlin unter Kontrolle gebracht haben. Wir haben dafür gesorgt, daß der Aufbau des Sozialismus friedlich weitergehen kann, und haben auch den Menschenhandel und die Ausplünderung der Bürger der Deutschen Demokratischen Republik durch die westdeutschen Militaristen gestoppt.

Zugleich aber – das erscheint mir besonders wichtig – haben wir den führenden Politikern und der Bevölkerung Westdeutschlands wieder das wirkliche Kräfteverhältnis in

8. »Das Bündnis aller Kräfte des Volkes findet in der Nationalen Front des demokratischen Deutschland seinen organisierten Ausdruck.« In ihr vereinigen »die Parteien und Massenorganisationen alle Kräfte des Volkes zum gemeinsamen Handeln für die Entwicklung der sozialistischen Gesellschaft« (Art. 3 der Verfassung der DDR vom 6. April 1968).

Deutschland und in der Welt ins Bewußtsein gebracht. Unsere Maßnahmen haben gezeigt, daß wir ernsthaft und ohne zu schwanken darangehen, den Friedensvertrag vorzubereiten. Unsere Maßnahmen werden zweifellos den Abschluß des Friedensvertrages und die Umwandlung Westberlins in eine entmilitarisierte Freie Stadt erleichtern. Selbst den engstirnigsten Politikern in Westberlin und in Bonn sollte jetzt klargeworden sein, daß die von Westberlin ausgehende Störtätigkeit unterbunden wird und daß keine Aussicht besteht, sie erfolgreich fortsetzen zu können. Jetzt beginnt man auch in vielen kapitalistischen Ländern zu begreifen, welch ein Gefahrenherd Westberlin für den Frieden der ganzen Welt geworden war. Ich habe den Eindruck: Auch in vielen NATO-Ländern sind die Menschen mit unserem Vorgehen sehr zufrieden.

Den großmäuligen Revanchepolitikern in Westberlin und in Bonn wurde nachdrücklich zu Gemüte geführt, daß die Durchführung des Potsdamer Abkommens gesichert ist und alle Revanchepläne scheitern müssen. [...]

Manche Bürger haben gefragt, ob es denn unbedingt notwendig gewesen sei, bei unseren Maßnahmen, die ja schließlich auch eine pädagogische Lektion waren, mit Panzern und Geschützen aufzufahren.

Ich möchte es ganz unmißverständlich sagen: Jawohl, das war notwendig! Das hat nämlich dazu beigetragen, die zur Sicherung des Friedens und der Grenzen der Deutschen Demokratischen Republik notwendigen Maßnahmen präzise, schnell und reibungslos durchzuführen. Den Provokateuren ist von vornherein die Lust genommen worden, gefährliche Zwischenfälle heraufzubeschwören. Es ist bei der Durchführung all unserer Maßnahmen weit, weit weniger passiert als bei einer durchschnittlichen Rock-and-Roll-Veranstaltung im Westberliner Sportpalast.

Für manche Leute war es sicherlich auch recht nützlich, zur Kenntnis zu nehmen, daß die deutsche Arbeiterklasse heute nicht mehr wehrlos ist, sondern über Panzer und Geschütze und alles, was zur Verteidigung notwendig ist, verfügt.

Vielleicht hatten manche Leute in Westdeutschland von Strauß bis Brandt vergessen, daß wir nicht verwechselt werden dürfen mit jenen Ministern der sozialdemokratischen Preußen-Regierung, die 1932 ihr Land der Reaktion auslieferten, obwohl sie über eine Polizeimacht von 100 000 Mann verfügten[9]. [...]
Unsere Panzer und Geschütze haben ihre Wirkung nicht verfehlt. Dadurch sind sicherlich auch einige Mißverständnisse über das Kräfteverhältnis und über den Charakter der Regierung eines echten Arbeiter-und-Bauern-Staates beseitigt worden.
Unsere Sicherungsmaßnahmen erleichtern es jetzt den friedliebenden Kräften in Westdeutschland und auch dem Teil der Bourgeoisie, der keinen Kriegskonflikt will, die Ultras zurückzudrängen.
Unsere Maßnahmen stimmen auch überein mit den ausgesprochenen oder unausgesprochenen Interessen der bürgerlichen Kreise in Frankreich und England, in den USA, in Belgien, Italien und anderen Ländern, die es in vielfacher Form der Regierung der Deutschen Demokratischen Republik nahegelegt haben, den Unruheherd Westberlin unter Kontrolle zu nehmen. Die bisherige Reaktion der NATO-Länder läßt ganz deutlich erkennen, daß vielen NATO-Politikern ein Stein vom Herzen gefallen ist, als sie am 13. August die Meldung vernahmen, daß eine dem Frieden äußerst gefährliche Situation durch die Maßnahmen der Regierung der Deutschen Demokratischen Republik auf friedlichem Wege bereinigt worden ist.
Ich hoffe auch, daß unsere Maßnahmen die bevorstehenden Verhandlungen über den Abschluß des Friedensvertrages und die friedliche Lösung der West-Berlin-Frage erleichtern werden. Die Atmosphäre ist gereinigt worden. Vieles ist jetzt klarer zu sehen. [...]
Was war der Sinn des 13. August? Der Sinn des 13. August

9. Die sozialdemokratische Regierung Braun/Severing war 1932 ohne Gegenwehr von Reichskanzler Franz von Papen (1879–1969) mit Hilfe des Notverordnungsrechts abgesetzt worden.

war die Sicherung des Friedens durch energische Schläge gegen die westdeutschen Militaristen und Ultras. Dadurch wurde es auch den friedliebenden Kräften in Westdeutschland erleichtert, sich gegen die militaristischen Unterdrükkungsmaßnahmen und gegen die Rüstungslasten zur Wehr zu setzen.
Wir haben die Ultras am Brandenburger Tor geschlagen. Ihre Aufgabe, liebe Westdeutsche, ist es, die Ultras am Rhein und an der Ruhr zu schlagen! [...]
In Westdeutschland und in Westberlin strapazieren manche Politiker jetzt den Begriff der Menschlichkeit. Die Menschenhändler, die unmenschlichen Organisatoren des Menschenhandels und des Kindesraubs, die Erpresser, die Lügner und die Verleumder, denen das Handwerk gelegt wird, werfen der Deutschen Demokratischen Republik Unmenschlichkeit vor. Ausgerechnet die! Diese Heuchler trauern ja nur darüber, daß sie ihre Verbrechen nicht fortsetzen können.
Ich möchte meinen: *Erstes Gebot der Menschlichkeit ist es doch, den Frieden zu sichern, einen Krieg zu verhindern und alle Maßnahmen durchzuführen, die diesem Ziel dienen.*
Auch die Hitler und Goebbels mißbrauchten den Begriff der Menschlichkeit ohne jeden Skrupel, um unter seinem Deckmantel ihre Aggressionen vorzubereiten. Die Vergewaltigung der Tschechoslowakei, der Einmarsch in Österreich und der Einmarsch in Polen – alles war lautere Menschlichkeit. Aus lauter Liebe zu den Menschen wurden Millionen Menschen zu »Untermenschen« erklärt und in den Gaskammern umgebracht. Aus lauter Menschlichkeit wollten die deutschen Militaristen ein Land nach dem anderen verschlingen. Und auch jetzt sagen diese Menschenfreunde: Wir wollen die Deutsche Demokratische Republik nur deshalb schlucken, damit sie nicht etwa von innen heraus explodiert. Also auch wieder: Aggression, aber nur aus Menschlichkeit.
Die westdeutschen Konzernherren, Bankiers und Militaristen haben sich da einen netten Propagandaschwindel zusammengebastelt. Sie sagen: Da in der Deutschen Demokra-

tischen Republik die Menschen vor Hunger verkommen, verzehren sich die Arbeiter und Bauern der Deutschen Demokratischen Republik in Sehnsucht danach, sich von den lieben, goldigen Monopolherren und Großgrundbesitzerchen ausbeuten und von Hitlergeneralen auf Kasernenhöfen schikanieren und schließlich in den dritten Weltkrieg jagen zu lassen. Daher gleiche die Deutsche Demokratische Republik sozusagen einem kochenden Kessel, dessen Explosion droht, wenn wir nicht gestatten, daß Jugendliche aus der DDR in die westdeutsche Armee und in die Fremdenlegion gelockt, daß Ärzte aus der Deutschen Demokratischen Republik als Reserve für die westdeutsche Armee und Ingenieure und Techniker für die westdeutschen Rüstungsbetriebe abgeworben werden können.
Ich möchte diesen Herrschaften sagen: Machen Sie sich keine Sorgen um uns. Die Arbeiter und Bauern in der Deutschen Demokratischen Republik wissen schon ganz genau, was sie wollen. Und wenn sich in Westdeutschland oder in anderen NATO-Ländern der eine oder andere Politiker durchaus mit explosiven Situationen beschäftigen will, dann findet er sie – jede Menge – ohne Vergrößerungsglas in den eigenen Ländern oder in den Ländern der NATO-Bundesbrüder.
Manche Leute haben gesagt, durch die Maßnahmen der Regierung der Deutschen Demokratischen Republik würden die Brüder und Schwestern in Westdeutschland von uns getrennt. Aber wer hat denn die Menschen in Westdeutschland von uns getrennt? Das waren doch die amerikanischen Imperialisten, weil sie Westdeutschland in ein Aufmarschgebiet, in einen Rammbock gegen den Sozialismus verwandeln wollten.

Wie ist das eigentlich mit den Brüdern und Schwestern?

Die Sache ist doch so: Wir sind für enge Beziehungen mit der westdeutschen Bevölkerung. Leider aber haben unsere westdeutschen Brüder und Schwestern zugelassen, daß bei ihnen Militarismus und Nazismus wiederum starke Machtpositionen einnehmen, die dazu ausgenutzt werden, einen dritten Weltkrieg vorzubereiten. [...]

Wir wollen es ganz offen sagen: Wenn jemand erklärt, die Westdeutschen seien unsere Brüder und Schwestern, so ist das nur teilweise wahr. Denn – wie ich vorhin nachwies – es gibt Deutsche und Deutsche. Die westdeutschen Arbeiter sind unsere Klassenbrüder. Die westdeutschen werktätigen Bauern, die im Frieden leben und arbeiten wollen, betrachten wir als Freunde und Bundesgenossen, desgleichen die westdeutschen Intellektuellen, die gegen die Atomrüstung auftreten. Wir schätzen sie als tüchtige Menschen und sind der Überzeugung, daß wir gut mit ihnen zusammenarbeiten können und später auch zusammenleben werden.
Aber es gibt – wie wir gesehen haben – auch Deutsche, die Feinde des deutschen Volkes und der deutschen Nation und der ganzen Menschheit sind und die wir auch als Feinde erkennen und bekämpfen müssen. Das sind die Militaristen, die unverbesserlichen Faschisten, die keine Reue zeigen und ihre menschenfeindlichen Pläne nicht aufgegeben haben. Das sind die Herren der großen Monopole, die am Unglück des deutschen Volkes verdient haben und auch jetzt an der Spaltung Deutschlands verdienen. Diese Leute und ihre Lakaien sind Feinde des Volkes. Und wir bedauern, daß es ihnen gelungen ist, nicht wenige Menschen in Westdeutschland und in Westberlin irrezuführen. [...]
Ich wende mich heute an die Bürger Westdeutschlands. Ich möchte Ihnen sagen: In der Hauptstadt der Deutschen Demokratischen Republik, in Berlin, herrscht Ruhe und Ordnung. Niemand soll sich von dem hysterischen Geschrei einiger Westberliner Politiker beirren lassen. Die Maßnahmen des ersten deutschen Arbeiter-und-Bauern-Staates und seiner Verbündeten dienen dem Frieden. Sie helfen mit zu gewährleisten, daß Westberlin nicht zu einem zweiten Sarajevo wird.
Ich möchte aber den Arbeitern, den Bauern und allen friedliebenden Menschen in Westdeutschland ganz offen sagen: Die weitere Sicherung des Friedens hängt in hohem Maße von Ihnen ab; denn in Westdeutschland haben Militarismus und Revanchismus ihre Basis. Von dort aus wird der Friede der Welt bedroht. Deshalb ist es erforderlich, daß alle vernünfti-

gen Bürger Westdeutschlands und guten Deutschen sich vereinen, um der wahnwitzigen Politik der unverbesserlichen Ostlandreiter und nach Revanche dürstenden Hitlergenerale, der alten und der neuen Faschisten ein Ende zu machen. Das ist notwendig, damit der Frieden erhalten wird, damit normale Beziehungen zwischen den beiden deutschen Staaten bestehen können, damit schließlich die Einheit der Nation wiederhergestellt werden kann. [. . .]
Die Berufung auf den sogenannten Viermächtestatus für Berlin ist ein Schattenspiel für Blinde, denn die Westmächte haben den Viermächtestatus selber liquidiert. Sie haben deshalb auch kein Recht mehr, sich auf das Protokoll vom 12. September 1944 zu berufen, das die Einteilung Deutschlands in drei Besatzungszonen sowie die Verwaltung von Groß-Berlin regelte, das nie und nirgends als selbständige Besatzungszone behandelt wurde.
Aus dem Wortlaut der Protokolle von 1944 wie auch aus allen weiteren Vereinbarungen über den Besatzungsmechanismus geht eindeutig hervor, daß sie nur Durchführungsbestimmungen zu dem von den Regierungen der Sowjetunion, der USA und Großbritanniens festgelegten Programm für die bedingungslose Kapitulation des Hitlerreiches waren. Dieses Programm ist in der Deklaration von Jalta und im Potsdamer Abkommen festgelegt und besagt, daß sich die alliierten Mächte verpflichten, den deutschen Militarismus und Nazismus auszurotten, sein Wiedererstehen nie zuzulassen und gemeinsam die Maßnahmen in Deutschland zu ergreifen, die für die Erhaltung des Friedens und die Sicherheit der Welt notwendig sind.
Diese feierlich unterzeichneten Abkommen von Jalta und Potsdam, die mit dem Blut von Millionen Kämpfern gegen die Hitlerherrschaft besiegelt waren, sind durch die Wiederaufrüstung Westdeutschlands und durch seine Einbeziehung in den Militärpakt der NATO von den Westmächten einseitig gebrochen worden. Damit haben sie auch den Durchführungsbestimmungen, wie sie in den Protokollen über das Besatzungsregime festgelegt waren, die völkerrechtliche Basis

entzogen. Es ist ein allgemeiner völkerrechtlicher Grundsatz: Wer ein Hauptabkommen bricht, kann sich nicht auf Nebenabkommen berufen. Die Westmächte haben dieser eindeutigen Sachlage selber dadurch Rechnung getragen, daß sie für Westberlin ein Dreimächte-Besatzungsstatut erließen, womit sie auch in formal-juristischer Hinsicht den Viermächtestatus von Berlin liquidierten. [. . .]

Jetzt sollte jedermann klar sein, daß die Spaltung der deutschen Nation nur durch den großen Volkskampf zur Bändigung des Militarismus und Imperialismus überwunden werden kann. An der Spitze dieses Volkskampfes stehen die Arbeiter und anderen Werktätigen der Deutschen Demokratischen Republik und ihre Staatsmacht. Sie sind sich heute ihrer Kraft bewußter als gestern. Sie haben dem Militarismus eine Niederlage beigebracht und wissen, daß hinter ihnen eine Milliarde Menschen des sozialistischen Lagers stehen.

Niemand aber soll denken, die strenge Sicherung unserer Grenzen bedeute, daß wir etwa die Arbeiter und die friedliebenden Menschen in Westdeutschland abgeschrieben hätten. Nein, niemand ist abgeschrieben. Die Sache ist so: Die Festigung und Stärkung der Deutschen Demokratischen Republik auf allen Gebieten ist Voraussetzung dafür, daß in Westdeutschland einige Mißverständnisse über die Perspektive endgültig beseitigt werden und daß auch die Rolle der Deutschen Demokratischen Republik klar erkannt wird.

Obwohl wir die Schwächen und Schwierigkeiten der westdeutschen Arbeiterklasse kennen und keine Illusionen haben, rechnen wir doch auf die westdeutsche Arbeiterklasse wie auf die große Zahl vernünftiger Leute in Westdeutschland, auf ihre Einsicht, ihre Klugheit, ihren Verstand und auf ihre Liebe zu unserem Volk. Aber sie alle werden die Lage neu durchdenken und daraus die notwendigen Konsequenzen ziehen müssen.

Aus der neuen Situation ergibt sich für uns auch folgende Schlußfolgerung: Die Werktätigen der ganzen Republik, ihre Söhne und Töchter in den bewaffneten Streitkräften haben in der Hauptstadt geholfen, die Grenzen zu schützen. Sie werden jetzt auch mithelfen, daß der sozialistische Aufbau in Berlin schneller durchgeführt wird, daß die Hauptstadt der Deutschen Demokratischen Republik endgültig gegen Störmanöver gefeit und von allen Nachwirkungen der Sumpfatmosphäre, die von der Frontstadt Westberlin ausstrahlte, befreit wird.

Die Ereignisse der letzten Wochen haben bewiesen, daß die Sicherung des Friedens für das deutsche Volk in hohem Maße von der Festigkeit und wirtschaftlichen Stärke der Deutschen Demokratischen Republik abhängt. Das Zentralkomitee der Sozialistischen Einheitspartei Deutschlands, die Volkskammer, der Staatsrat, die Regierung der Deutschen Demokratischen Republik – sie alle haben in diesen letzten Wochen viele Beweise der kämpferischen Anteilnahme aus den Betrieben, Städten und Dörfern der Deutschen Demokratischen Republik erhalten. In ungezählten Telegrammen, Briefen und Beschlüssen werden Verpflichtungen übernommen, die alle darauf hinzielen, durch größere Arbeitsleistungen, durch bessere Qualität der Arbeit unsere Republik zu stärken.

Ich möchte von dieser Stelle aus allen Werktätigen der Deutschen Demokratischen Republik, die sich in dieser Weise an dem Kampf um die Sicherung unserer Hauptstadt Berlin beteiligt haben, sehr herzlich danken. Sie haben uns und allen am Kampf um die Sicherung der Hauptstadt Berlin eingesetzten Genossen und Kollegen gezeigt, daß die ganze werktätige Bevölkerung der Deutschen Demokratischen Republik hinter den Maßnahmen der Regierung steht. Sie haben erkannt, worauf es jetzt und in der nächsten Zukunft ankommt.

Die wichtigste Aufgabe für uns ist und bleibt die Vorbereitung des Friedensvertrages durch die weitere Stärkung der Deutschen Demokratischen Republik. Jeder Werktätige der Deutschen Demokratischen Republik hilft mit durch solide und gewissenhafte Erfüllung der Planaufgaben in Menge und Qualität, durch gute Einbringung der Ernte, durch gute

und lückenlose Versorgung unserer Bevölkerung durch unseren Handel. Nachlässigkeiten und Gleichgültigkeit müssen auf allen Gebieten unserer Arbeit beseitigt werden.
Die große Hilfe, die uns die Sowjetunion leistet, und die Hilfe der volksdemokratischen Länder ermöglichen es uns, die Rohstoffe und Waren zu erhalten, die wir nicht selbst erzeugen.
Nachdem die wichtigen Maßnahmen der Sicherung der Deutschen Demokratischen Republik und ihres sozialistischen Aufbaus gegen die von Westberlin ausgehenden Störmanöver durchgeführt worden sind, gilt es jetzt bei der Vorbereitung und Durchführung der Wahlen zu den Volksvertretungen in den Gemeinden und Kreisen mit der ganzen Bevölkerung zu beraten, wie in Industrie und Landwirtschaft, im Dorf, in der Stadt und im Kreis der sozialistische Aufbau weitergeführt wird. Zusammen mit der ganzen Bevölkerung wollen wir beraten und beschließen, wie die Aufgaben der Produktion erfüllt werden, wie sich das gesellschaftliche und kulturelle Leben entwickelt, wie wir die Jugend erziehen, welche Aufgaben wir ihr stellen und wie wir ihre Begeisterung für den Aufbau des Sozialismus fördern. Gemeinsam mit der ganzen Bevölkerung werden wir in Vorbereitung der Wahlen auch die noch vorhandenen Schwächen erkennen und ausmerzen.
Manches wird jetzt in Berlin leichter sein. Manches wird jetzt schneller gehen, nachdem der Einfluß des Westberliner Frontstadtsumpfes radikal eingeschränkt wurde. Wir können uns unseren eigentlichen Aufgaben, deren Erfüllung der ganzen Bevölkerung der Deutschen Demokratischen Republik zugute kommt, ungestört widmen. Und viele von uns werden auch ein ihrer Arbeit sehr förderliches neues Kraftbewußtsein erhalten haben.
So gehen wir, liebe Bürger der Deutschen Demokratischen Republik, nach diesen ereignisreichen Tagen mit Zuversicht an unsere Arbeit, die dem Frieden und dem Wohle unseres Volkes dient, die auch jeden einzelnen von uns vorwärtsbringt.

Dazu wünsche ich Ihnen allen und Ihren Angehörigen Gesundheit, Glück und Erfolg!

10. Kurt Georg Kiesinger und Gustav Heinemann an die Bevölkerung der Bundesrepublik zu den Studentenunruhen vom April 1968

Seit dem Sommer 1967 rebellierte die studentische Jugend in der Bundesrepublik und in Westberlin, es kam zu harten Auseinandersetzungen zwischen der Staatsmacht und den protestierenden und demonstrierenden Studenten. In dieser Situation äußerster Anspannung, die die Regierung der Großen Koalition kaum recht zu bewältigen wußte, unternahm der Anstreicher Josef Bachmann am Gründonnerstag, 11. April 1968, ein Attentat auf den SDS-Führer Rudi Dutschke und verletzte ihn schwer.
Daraufhin begannen dessen Anhänger und tausende sich mit ihnen solidarisierender Jugendlicher an den Osterfeiertagen in Berlin, München, Hamburg, Frankfurt, Köln, Kiel, Göttingen, Kassel, Stuttgart und Esslingen mit gewaltsamen Aktionen gegen den Springer-Zeitungskonzern, dessen Blätter in den Monaten vorher die Studentenunruhen für sensationelle Artikel mit polarisierender Wirkung genutzt hatten.
So hieß es in einem Flugblatt des Frankfurter SDS: »In Berlin ist ein Attentat auf Rudi Dutschke verübt worden [...]. Daß es soweit kommen mußte, ist aber nicht einem einzelnen anzurechnen. Die wirklichen Täter sind diejenigen, die Rudi Dutschke als ›Staatsfeind Nr. 1‹ gestempelt haben, die Vorurteile gegen die Studenten geweckt und gebilligt haben. Diese Täter sitzen in den Redaktionsstuben des Springer-Konzerns, im Senat und Abgeordnetenhaus Westberlins. Die Dreckschleuder von Franz Josef Strauß, die Durchhaltebefehle des Herrn Jaeger und die Hetzparolen des Wehner haben das Attentat vorbereitet.

Sie werden jetzt alle Krokodilstränen weinen. Sie werden Trauer und Entsetzen heucheln. Und morgen werden sie ihre Kampagnen fortsetzen.«

Der damalige Bundeskanzler Kurt Georg Kiesinger antwortete am 13. April 1968 in einem Interview mit dem Westdeutschen Rundfunk auf die Frage: »... was wird die Bundesregierung und was werden die Länder tun, um zu verhindern, daß die Gewalttätigkeiten andauern oder sogar noch zunehmen?«:

»Die Bundesregierung selber hat ja keinerlei Polizeikräfte zur Verfügung, die sie einsetzen könnte, um Störungen der öffentlichen Ordnung und Sicherheit, Gewaltaktionen, abzuwehren. Dafür sind nach dem Willen des Grundgesetzes ausschließlich die Polizeikräfte der Länder und der Gemeinden zuständig. Ich habe aber veranlaßt, daß eine ständige Bereitschaft im Bundesinnenministerium Verbindung hält mit den Innenministerien der Länder. Dieser Bereitschaftsdienst im Bundesinnenministerium bekommt von den Ländern alle Informationen, und ich stehe in ständiger Verbindung mit dem Bundesinnenminister, um in Zusammenarbeit mit den Ländern, wenn es notwendig sein sollte – was ich nicht hoffe – bei einer Fortsetzung oder gar Steigerungen der Gewaltaktionen, die notwendigen Maßnahmen zu veranlassen.

Die radikalen militanten kleinen Gruppen, die hier tätig werden, müssen wissen, daß die verhältnismäßige Zurückhaltung der Länder bisher darauf zurückzuführen war, daß man mit Recht versucht hat, unnötige Opfer zu vermeiden. Wenn sie aber so fortmachen wie bisher, muß sich notwendig die staatliche Abwehrreaktion verschärfen, und dafür tragen dann diese Leute die Verantwortung.

Außerdem ist auch nicht auszuschließen, daß in solchen Fällen Gegenreaktionen aus der Bevölkerung selber kommen, und das würde zu höchst unerwünschten und gefährlichen Zusammenstößen und zu einer Ausbreitung der Unruhe führen können, auch zu einer Förderung eines andersartigen Radikalismus, die wir gerne vermeiden möchten.«

Zum Abschluß des Interviews führte er aus:
»Es ist gar nicht alles, was sich da zur Oberfläche drängt, zu verwerfen. Zum Beispiel sympathisiere ich durchaus mit dem Protest bestimmter studentischer Gruppen gegen bestimmte Erscheinungen der modernen technologischen industriellen Welt. Das sind ja Gedanken, die in der deutschen kulturkritischen Literatur seit vielen Jahrzehnten behandelt werden.
Im Grunde genommen ist diese Gegenwehr gegen das unmenschliche Element in dieser modernen technologischen Welt etwas durchaus Sympathisches. Nur darf es nicht zu einer bilderstürmerischen Haltung führen, zu dem Willen, erst einmal alles einzureißen, um dann etwas Schönes und Vollkommenes aufzubauen. Denn wenn das sich durchsetzen würde, dann würde es enden, wie alle Schwarmgeisterei in der Geschichte immer geendet hat: in Blut und Tränen.«
Am gleichen Tag sprach Kiesinger dann über Rundfunk und Fernsehen zur Bevölkerung der Bundesrepublik über die Studentenunruhen und am Tag darauf wandte sich Gustav Heinemann (SPD) in seiner Eigenschaft als Bundesjustizminister der Großen Koalition an die bundesdeutsche Bevölkerung. Beide Reden sind im folgenden abgedruckt.

Literaturhinweise: Eine gute Dokumentation bieten die SPIEGEL-Nummern: 17, 22. 4. 1968; 18, 29. 4. 1968 und 19, 6. 5. 1968. – Vgl. dazu auch: Die Rebellion der Studenten oder Die neue Opposition. Eine Analyse von Uwe Bergmann, Rudi Dutschke, Wolfgang Lefèvre und Bernd Rabehl. Reinbek 1968. (rororo aktuell 1043.) – Zur Interpretation der Reden von Kiesinger und Heinemann: Gaier, Ulrich: Sprache in politischer Rede (s. Literaturverzeichnis).

Kurt Georg Kiesinger:

Meine sehr verehrten Zuhörer!
Im Zusammenhang mit dem verbrecherischen Anschlag auf Rudolf Dutschke haben in den beiden letzten Tagen radikale studentische Gruppen in einigen deutschen Städten eine Reihe von gewalttätigen Aktionen unternommen. Diese Studentengruppen werden angeführt von kleinen, aber militan-

ten links-extremistischen Kräften, die sich die Zerstörung unserer parlamentarisch-demokratischen Ordnung offen zum Ziel gesetzt haben. Sie haben seit langem derartige Gewalttätigkeiten propagiert und durchgeführt.

In unserer Demokratie haben die Vertreter jeder politischen Meinung das unbestreitbare Recht, diese zum Ausdruck zu bringen und für sie zu werben. Keiner Gruppe kann aber das Recht zugestanden werden, ihre politischen Auffassungen und Ziele mit Gewalt durchsetzen zu wollen. Die staatlichen Reaktionen waren bisher bewußt zurückhaltend, um unnötige Opfer zu vermeiden. Seit Wochen wurden jedoch diese Gruppen davor gewarnt, ihre ungesetzlichen Aktionen fortzusetzen, weil sonst zwangsläufig die Mittel der staatlichen Abwehr verschärft werden müßten. Darüber hinaus ist zu befürchten, daß sich Gegenaktionen aus der Bevölkerung entwickeln könnten, die zu gefährlichen Zusammenstößen und Unruhen führen müßten.

Die Bundesregierung verfügt über keine eigenen Polizeikräfte zur Abwehr derartiger Störungen der öffentlichen Ordnung. Dafür sind die Länder und Gemeinden mit ihren Polizeikräften allein zuständig. Ich habe aber veranlaßt, daß das Bundesinnenministerium in ständiger Bereitschaft Verbindung mit den Innenministerien der Länder hält, deren Polizeikräfte in der Lage sind, diese Störungen abzuwehren.

Das Attentat eines keiner politischen Gruppe angehörenden abseitigen Verbrechers sollte für uns ein Alarmsignal sein. Gewalt provoziert Gegengewalt, die sich zwangsläufig ständig ausbreiten und steigern muß. Um eine solche unheilvolle Entwicklung zu vermeiden, muß sich der weit überwiegende Teil der Studentenschaft, der für die Aufrechterhaltung unserer demokratisch-parlamentarischen Ordnung eintritt, den radikalen Rädelsführern verweigern.

Unsere Bevölkerung erwartet, daß der Staat die öffentliche Ordnung sichert. Dies aber ist ohne Verschärfung der staatlichen Abwehrmittel nur möglich, wenn die radikale studentische Minderheit sich auf den Boden des Rechts zurückbe-

gibt. Ich weiß, daß manche von ihnen härtere Zusammenstöße bewußt provozieren wollen.
Ich warne sie vor den dann unvermeidlichen Folgen, für die sie die Verantwortung tragen müßten.
Ich weiß mich in der Entschlossenheit, keine gewaltsame Störung der rechtsstaatlichen Ordnung, komme sie von wem sie wolle, zu dulden mit unserem Volke einig.

Gustav Heinemann:
Verehrte Mitbürger!
Diese Tage erschütternder Vorgänge und gesteigerter Unruhe rufen uns alle zu einer Besinnung. Wer mit dem Zeigefinger allgemeiner Vorwürfe auf den oder die vermeintlichen Anstifter oder Drahtzieher zeigt, sollte daran denken, daß in der Hand mit dem ausgestreckten Zeigefinger zugleich drei andere Finger auf ihn selbst zurückweisen.
Damit will ich sagen, daß wir alle uns zu fragen haben, was wir selber in der Vergangenheit dazu beigetragen haben könnten, daß ein Antikommunismus sich bis zum Mordanschlag steigerte, und daß Demonstranten sich in Gewalttaten der Verwüstung bis zur Brandstiftung verloren haben.
Sowohl der Attentäter, der Rudi Dutschke nach dem Leben trachtete, als auch die elftausend Studenten, die sich an den Demonstrationen vor Zeitungshäusern beteiligten, sind junge Menschen.
Heißt das nicht, daß wir Älteren den Kontakt mit Teilen der Jugend verloren haben oder ihnen unglaubwürdig wurden? Heißt das nicht, daß wir Kritik ernst nehmen müssen, auch wenn sie aus der jungen Generation laut wird?
Besserungen hier und an anderen Stellen können nur dann gelingen, wenn jetzt von keiner Seite neue Erregung hinzugetragen wird. Gefühlsaufwallungen sind billig, aber nicht hilfreich – ja sie vermehren die Verwirrung.
Nichts ist jetzt so sehr geboten wie Selbstbeherrschung – auch an den Stammtischen oder wo immer sonst das Geschehen dieser Tage diskutiert wird.

Das Kleid unserer Freiheit sind die Gesetze, die wir uns selber gegeben haben. Diesen Gesetzen die Achtung und Geltung zu verschaffen, ist Sache von Polizei und Justiz. Es besteht kein Anlaß zu bezweifeln, daß Polizei und Justiz tun, was ihre Aufgabe ist.
Wichtiger aber ist es, uns gegenseitig zu dem demokratischen Verhalten zu verhelfen, das den Einsatz von Justiz und Polizei erübrigt.
Zu den Grundrechten gehört auch das Recht zum Demonstrieren, um öffentliche Meinung zu mobilisieren. Auch die junge Generation hat einen Anspruch darauf, mit ihren Wünschen und Vorschlägen gehört und ernst genommen zu werden.
Gewalttat aber ist gemeines Unrecht und eine Dummheit obendrein. Es ist eine alte Erfahrung, daß Ausschreitungen und Gewalttaten genau die gegenteilige öffentliche Meinung schaffen, als ihre Urheber wünschen. Das sollten – so meine ich – gerade politisch bewegte Studenten begreifen und darum zur Selbstbeherrschung zurückfinden.
Unser Grundgesetz ist ein großes Angebot. Zum ersten Mal in unserer Geschichte will es in einem freiheitlich-demokratischen und sozialen Rechtsstaat der Würde des Menschen volle Geltung verschaffen. In ihm ist Platz für eine Vielfalt der Meinungen, die es in offener Diskussion zu klären gilt.
Uns in diesem Grundgesetz zusammenzufinden und seine Aussagen als Lebensform zu verwirklichen, ist die gemeinsame Aufgabe. Die Bewegtheit dieser Tage darf nicht ohne guten Gewinn bleiben.

11. Willy Brandt an die Bürger der Bundesrepublik anläßlich der Unterzeichnung des deutsch-polnischen Vertrages

Innerhalb der Ostpolitik der sozialliberalen Regierung Brandt/Scheel brachte besonders der deutsch-polnische Ver-

trag innenpolitische Schwierigkeiten mit sich, weil durch ihn die Oder-Neiße-Grenze als polnische Westgrenze anerkannt wurde.
Damit war vor allem für viele Vertriebene aus den Ostgebieten der Gedanke an eine Rückkehr in diese Gebiete mit der politischen Realität konfrontiert, die anzuerkennen sehr schwer gefallen ist. Der Präsident des Bundes der Vertriebenen, der CDU-Bundestagsabgeordnete Herbert Czaja schrieb in diesem Zusammenhang in einem Telegramm an Außenminister Scheel: »Sie sind glücklich darüber, daß Sie einen ins Nichts geworfenen Verzicht auf über 100 000 qkm deutschen Gebiets aussprechen können und daß Sie der sowjetischen Nachkriegskonzeption von 1944 sowie ihrer Durchsetzung durch das Faustrecht der Massenvertreibung nun nach 25 Jahren die politische Zustimmung der Deutschen zu verschaffen suchen« (Archiv der Gegenwart, 1970, S. 15909).
Vor diesem Hintergrund ist die folgende Fernsehansprache zu sehen, die Bundeskanzler Willy Brandt am 7. Dezember 1970, nach der am gleichen Tag erfolgten Vertragsunterzeichnung, von Warschau aus an die Bevölkerung der Bundesrepublik über die Sender der ARD hielt.

Literaturhinweise: Eine brauchbare kleine Sammlung von Dokumenten bietet: Habel, Fritz Peter und Helmut Kistler: Die Grenze zwischen Deutschen und Polen. Hrsg. von der Bundeszentrale für politische Bildung. Bonn o. J. (Reihe ›Kontrovers‹.) – Zur Behandlung dieser Rede im Unterricht: Pelster, Theodor: Politische Rede im Unterricht (s. Literaturverzeichnis).

Meine lieben Mitbürgerinnen und Mitbürger!
Ich bin mir bewußt: Dies ist eine schwere Reise. Für eine friedliche Zukunft wird sie von Bedeutung sein. Der Vertrag von Warschau soll einen Schlußstrich setzen unter Leiden und Opfer einer bösen Vergangenheit. Er soll eine Brücke schlagen zwischen den beiden Staaten und den beiden Völkern. Er soll den Weg dafür öffnen, daß getrennte Familien wieder zusammenfinden können. Und daß Grenzen weniger trennen als bisher.

Und trotzdem: Dieser Vertrag konnte nur nach ernster Gewissenserforschung unterschrieben werden.
Wir haben uns nicht leichten Herzens hierzu entschieden. Zu sehr sind wir geprägt von Erinnerungen und gezeichnet von zerstörten Hoffnungen. Aber guten Gewissens, denn wir sind überzeugt, daß Spannungen abgebaut, Verträge über Gewaltverzicht befolgt, die Beziehungen verbessert und die geeigneten Formen der Zusammenarbeit gefunden werden müssen, um zu einer europäischen Friedensordnung zu gelangen.
Dabei muß man von dem ausgehen, was ist; was geworden ist. Auch in bezug auf die Westgrenze Polens. Niemand hat uns zu dieser Einsicht gezwungen. Wir sind mündig geworden. Es geht um den Beweis unserer Reife und um den Mut, die Wirklichkeit zu erkennen.
Was ich im August Ihnen aus Moskau gesagt habe, liebe Mitbürgerinnen und Mitbürger, gilt auch für den Vertrag mit Polen: Er gibt nichts preis, was nicht längst verspielt worden ist. Verspielt nicht von uns, die wir in der Bundesrepublik Deutschland politische Verantwortung tragen und getragen haben. Sondern verspielt von einem verbrecherischen Regime, vom Nationalsozialismus.
Wir dürfen nicht vergessen, daß dem polnischen Volk nach 1939 das Schlimmste zugefügt wurde, was es in seiner Geschichte hat durchmachen müssen. Dieses Unrecht ist nicht ohne Folgen geblieben.
Großes Leid traf auch unser Volk, vor allem unsere ostdeutschen Landsleute. Wir müssen gerecht sein: Das schwerste Opfer haben jene gebracht, deren Väter, Söhne oder Brüder ihr Leben verloren haben. Aber nach ihnen hat am bittersten für den Krieg bezahlt, wer seine Heimat verlassen mußte.
Ich lehne Legenden ab, deutsche wie polnische: Die Geschichte des deutschen Ostens läßt sich nicht willkürlich umschreiben.
Unsere polnischen Gesprächspartner wissen, was ich Ihnen zu Hause auch noch einmal in aller Klarheit sagen möchte: Dieser Vertrag bedeutet nicht, daß wir Unrecht anerkennen

oder Gewalttaten rechtfertigen. Er bedeutet nicht, daß wir Vertreibungen nachträglich legitimieren.
Ressentiments verletzten den Respekt vor der Trauer um das Verlorene – verloren »in Schmerzen, Krieg und Ach, in unerschöpften Tränen«[1], wie es der Schlesier Andreas Gryphius am Ende des Dreißigjährigen Krieges sagte. Niemand kann sich dieser Trauer entziehen, uns schmerzt das Verlorene. Und das leidgeprüfte Volk wird unseren Schmerz respektieren.
Namen wie Auschwitz werden beide Völker noch lange begleiten und uns daran erinnern, daß die Hölle auf Erden möglich ist; wir haben sie erlebt. Aber gerade diese Erfahrung zwingt uns, die Aufgaben der Zukunft entschlossen anzupacken. Die Flucht vor der Wirklichkeit schafft gefährliche Illusionen. Ich sage: Das Ja zu diesem Vertrag, zur Aussöhnung, zum Frieden, ist ein Bekenntnis zur deutschen Gesamtgeschichte.
Ein klares Geschichtsbewußtsein duldet keine unerfüllbaren Ansprüche. Es duldet auch nicht jene ›geheimen Vorbehalte‹, vor denen der Ostpreuße Immanuel Kant in seiner Schrift *Zum ewigen Frieden*[2] gewarnt hat.
Wir müssen unseren Blick in die Zukunft richten und die Moral als politische Kraft erkennen. Wir müssen die Kette des Unrechts durchbrechen. Indem wir dies tun, betreiben wir keine Politik des Verzichts, sondern eine Politik der Vernunft.
Der Vertrag zwischen Polen und uns – ein Vertrag, wie er amtlich heißt, über die *Grundlagen der Normalisierung der gegenseitigen Beziehungen* – ersetzt keinen formellen Friedensvertrag. Er berührt nicht die Rechte und Verantwortlichkeiten der Vier Mächte für Deutschland als Ganzes. Er setzt frühere vertragliche Verpflichtungen weder der einen noch der anderen Seite außer Kraft.

1. Zitat aus dem Sonett »Auf den Anfang des 1650sten Jahres« von Andreas Gryphius (1616–64).
2. 1795 erschienene Schrift des aus Königsberg stammenden Philosophen Immanuel Kant (1724–1804).

Ich unterstreiche dies ausdrücklich, denn es bleibt natürlich dabei, daß unsere aktive Mitwirkung in den Westeuropäischen Gemeinschaften und unsere festverankerte Stellung im Atlantischen Bündnis die Grundlage bilden, von der aus wir uns um ein neues, besseres Verhältnis zu den osteuropäischen Völkern bemühen. Erst aus diesem Gesamtzusammenhang wird klar, was dieser Vertrag für den Frieden bedeutet, für die geteilte deutsche Nation und für ein geeintes Europa. Ein Europa, das nicht durch Deklamationen, sondern nur durch zielbewußte Arbeit geschaffen werden kann.
Nichts ist weiter wichtiger als die Herstellung eines gesicherten Friedens.
Dazu gibt es keine Alternative. Frieden ist nicht möglich ohne europäische Solidarität.
Alles, was uns diesem Ziele näherbringt, ist ein guter Dienst an unserem Volk und vor allem ein Dienst für die, die nach uns kommen.

12. Richard M. Nixon zum Antritt seiner zweiten Präsidentschaft an die amerikanische Nation

Als Richard Milhouse Nixon am 20. Januar 1973 im Weißen Haus in Washington über Rundfunk und Fernsehen seine Antrittsrede für die zweite Amtsperiode als Präsident an das amerikanische Volk hielt, waren die weltweiten Proteste gegen die massive Bombardierung Nordvietnams in der zweiten Dezemberhälfte 1972, die der schwedische Ministerpräsident Palme sogar als Parallele zu den Nazi-Verbrechen während des Zweiten Weltkrieges bezeichnete, noch nicht ganz verklungen.
Dieser Bombenhagel sollte – das war die Überlegung Nixons – Nordvietnam zu einer Akzeptierung der amerikanischen und südvietnamesischen Vorstellungen von einem Waffenstillstand zwingen, nachdem eine Lösung des Konflikts bereits im Oktober 1972, kurz vor der Präsidenten-

wahl, zum Greifen nahe war, dann bis Dezember 1972 noch möglich schien, schließlich aber Mitte Dezember an den erst später von den USA übernommenen Forderungen Südvietnams scheiterte.
Nixon, der schon 1968 eine Lösung für Vietnam versprochen hatte, setzte, nach dem überragenden Sieg seiner Wiederwahl am 7. November 1972, mit diesem gnadenlosen Kampf gegen einen hoffnungslos unterlegenen Gegner die USA der moralischen Anklage der Weltöffentlichkeit aus und ließ auch die Kräfte im eigenen Land wieder enger zusammenrücken, die während seiner ersten Amtsperiode heftig gegen die Vietnampolitik demonstriert hatten, wodurch es, auch in Verbindung mit dem Massaker von My Lai, zu einer Krise des traditionell ungebrochenen Selbstverständnisses der Amerikaner gekommen war.
Diese Krise wurde durch Nixons Wahlsieg verdeckt, denn die Amerikaner suchten nach einer Sicherheit, die ihnen trotz allem nur Nixon zu bieten schien. Gründe für diese Haltung deutet die amerikanische Zeitschrift *Newsweek* in der Stellungnahme zu einer Umfrage aus dem Jahre 1972 an: »Nixon erweckt zwar keine große Begeisterung, verkörpert aber eine gewisse Ruhe und solide Kompetenz. Der Beifall, der ihm gezollt wird, stürzt keine Wände ein, aber es ist gleichwohl Beifall – für die Art, in der er sein Amt ausübt, ebenso wie für seine Persönlichkeit.«
Eben dieses Image entwarf Nixon 1971, als er sich so charakterisierte: »Ohne zu versuchen, mich selbst zu psychoanalysieren, möchte ich einfach sagen, daß meine starke Seite nicht die Rhetorik und Schauspielkunst ist. Sie zeigt sich nicht in den großen Versprechungen – jenen Dingen, welche den Glanz und die Erregung schaffen, welche man Charisma und Wärme nennt. Wenn ich eine starke Seite habe, dann ist es die Leistung. Ich produziere mehr, als ich verspreche.«
Die Antrittsrede, die Nixon am 20. Januar 1973 hielt, ist auf dem Hintergrund dieser seiner Selbsteinschätzung zu sehen, verbunden mit dem Bewußtsein einer vor allem aus dem Vietnamkonflikt resultierenden und trotz des Wahl-

ausgangs kaum zu unterdrückenden Krise des allgemeinen amerikanischen Selbstverständnisses.

Als wir vor 4 Jahren hier zusammenkamen, war die Stimmung in Amerika düster und gedrückt, ob der Aussicht auf einen anscheinend endlosen Krieg in Übersee und einen destruktiven Streit im eigenen Lande. Wenn wir heute hier zusammenkommen, dann stehen wir *an der Schwelle einer* neuen *Ära des Friedens* in der Welt. Die zentrale Frage, die sich uns stellt, lautet: Wie sollen wir diesen Frieden nutzen? Seien wir entschlossen, daß diese Ära, in die wir jetzt eintreten, nicht so sein wird, wie andere Nachkriegsepochen es oft waren; eine Zeit des Rückzuges und der Isolierung, die zu Stagnation im eigenen Lande führt und neue Gefahren in Übersee heraufbeschwört. Seien wir entschlossen, daß diese Ära das sein wird, was sie werden kann: Eine Zeit großer Aufgaben, in Größe gemeistert, in der wir den Geist und die Verheißung Amerikas erneuern, da wir in unser drittes Jahrhundert als Nation eintreten. Das vergangene Jahr brachte weitreichende Ergebnisse unserer neuen Politik für den Frieden. Durch die Neubelebung unserer traditionellen Freundschaften und durch unsere Reisen nach Peking und nach Moskau konnten wir die Basis für ein neues und dauerhafteres System von Beziehungen zwischen den Völkern der Welt schaffen. Auf Grund der kühnen Initiativen Amerikas wird man sich an 1972 noch lange an das Jahr erinnern, in dem der größte Fortschritt seit dem II. Weltkrieg in Richtung auf einen dauerhaften Frieden in der Welt gemacht wurde. Der Friede, den wir für die Welt anstreben, ist kein oberflächlicher Friede, der nichts weiter als ein Zwischenspiel zwischen 2 Kriegen ist, sondern ein Friede, der für spätere Generationen Bestand haben kann. Es ist wichtig, daß wir sowohl die Notwendigkeit als auch die Grenzen der Rolle kennen, die Amerika bei der Erhaltung dieses Friedens spielen kann. Wenn wir in Amerika nicht dafür arbeiten, diesen Frieden zu erhalten, dann wird es keinen

Frieden geben. Wenn wir in Amerika nicht dafür arbeiten, die Freiheit zu erhalten, dann wird es keine Freiheit geben. Wollen wir uns jedoch völlig im klaren sein über die neue Art der Rolle, die Amerika auf Grund der neuen Politik spielt, die wir im Laufe dieser letzten 4 Jahre eingeschlagen haben. Wir werden unsere vertraglichen Verpflichtungen respektieren. Wir werden nachdrücklich das Prinzip unterstützen, daß kein Land das Recht hat, einem anderen seinen Willen oder seine Herrschaft gewaltsam aufzuzwingen. Wir werden in dieser Ära der Verhandlungen weiter auf die Begrenzung der Nuklearwaffen und die Verringerung der Gefahr einer Konfrontation zwischen den Großmächten hinarbeiten. Wir werden unseren Teil zur Verteidigung von Frieden und Freiheit auf der Welt beitragen, aber wir werden von den anderen erwarten, daß sie das Ihre dazu beitragen.
Die Zeit ist vorbei, da Amerika die Konflikte aller anderen Länder zu seinen eigenen gemacht hat oder da es sich verantwortlich fühlte für die Zukunft jedes anderen Landes oder da es sich anmaßte, den Völkern anderer Länder zu sagen, wie sie ihre eigenen Angelegenheiten regeln sollten. So wie wir das Recht eines jeden Landes respektieren, über seine eigene Zukunft zu entscheiden, so erkennen wir auch an, daß *jedes Land die Verantwortung für die Sicherung seiner eigenen Zukunft* trägt. So wie auf die Rolle Amerikas bei der Erhaltung des Weltfriedens nicht verzichtet werden kann, genauso wenig kann auf die Rolle jedes einzelnen Landes bei der Erhaltung seines eigenen Friedens verzichtet werden. Seien wir entschlossen, gemeinsam mit der übrigen Welt auf den Anfängen, die wir bereits gemacht haben, weiter aufzubauen. Wollen wir fortfahren, die Mauern der Feindschaft einzureißen, die die Welt zu lange getrennt haben, und an ihrer Stelle Brücken der Verständigung errichten – auf daß die Völker der Welt, trotz tiefgehender Unterschiede zwischen den Regierungssystemen, Freunde sein können. Wollen wir ein Gebäude des Friedens in der Welt errichten, in dem die Schwachen genauso sicher sind wie die

Starken – in dem jeder das Recht des anderen respektiert, in einem andersgearteten System zu leben – in dem diejenigen, die andere beeinflussen möchten, dies durch die Stärke ihrer Ideen und nicht durch die Macht ihrer Waffen tun. Wollen wir diese hohe Verantwortung nicht als eine Bürde, sondern freudig auf uns nehmen – freudig, weil die Chance, einen solchen Frieden zu schaffen, die vornehmste Aufgabe ist, die ein Land auf sich nehmen kann; freudig auch, weil wir nur dann eine große Nation bleiben werden, wenn wir mit Größe unseren Verpflichtungen im Ausland nachkommen. Und nur wenn wir eine große Nation bleiben, werden wir mit Größe unseren Verpflichtungen im eigenen Lande nachkommen können. Wir haben heute die Chance, mehr zu tun als jemals zuvor in unserer Geschichte, um das Leben in Amerika zu verbessern – um eine bessere Schulbildung, bessere Gesundheitseinrichtungen, bessere Wohnungen, bessere Verkehrseinrichtungen, eine sauberere Umwelt zu gewährleisten – um die Achtung vor dem Gesetz wiederherzustellen, um unsere Gemeinden lebensfreundlicher zu gestalten – um das von Gott gegebene Recht jedes einzelnen Amerikaners auf umfassende und gleiche Chancen sicherzustellen. Da der Rahmen dessen, was nötig ist, so weit gesteckt ist – da der Bereich dessen, was möglich ist, so groß ist –, sollten wir kühn sein in unserer Entschlossenheit, diese Erfordernisse auf neue Weise zu erfüllen.

So wie die *Errichtung eines Gebäudes des Friedens* in der Welt es erforderte, daß wir uns von der alten Politik abwandten, die versagt hat, so erfordert es der Aufbau einer neuen Ära des Fortschritts im eigenen Lande, daß wir von der alten Politik ablassen, die ebenfalls versagt hat. In der Welt bedeutete der Übergang von der alten Politik zu einer neuen keine Abkehr von unseren Verpflichtungen, sondern vielmehr einen besseren Weg zum Frieden. Im eigenen Lande wird der Übergang von einer alten Politik zu einer neuen keine Abkehr von unseren Verpflichtungen sein, sondern vielmehr ein besserer Weg zum Fortschritt. In der Welt wie im eigenen Lande liegt der Schlüssel zu dieser neuen Politik in der Verteilung der Aufgaben. Wir haben zu lange mit den Folgen des Versuches gelebt, alle Gewalt und Verantwortung in Washington zu vereinen. In der Welt wie im eigenen Lande ist die Zeit gekommen, da wir uns von der herablassenden Politik des Paternalismus – des »Washington weiß es am besten« – abwenden. Jemand kann nur verantwortungsbewußt handeln, wenn er Verantwortung trägt. Dies liegt in der Natur des Menschen. Wir sollten die Menschen im eigenen Lande und die anderen Völker ermutigen, selbst mehr zu tun und selbst mehr zu entscheiden. Wollen wir das, was wir für andere tun, nach dem bemessen, was sie selbst für sich tun. Das ist der Grund, warum ich heute nicht verspreche, daß die Regierung schon alle Probleme lösen wird. Wir haben zu lange mit diesem falschen Versprechen gelebt. Indem wir zu sehr auf die Regierung bauten, haben wir mehr von ihr gefordert, als sie geben kann. Dies führt nur zu übersteigerten Erwartungen, zu geringeren Anstrengungen des einzelnen, und zu Enttäuschungen und Frustration, die das Vertrauen in das, was die Regierung und was die Bevölkerung leisten können, untergraben. Die Regierung muß lernen, weniger von den Menschen zu nehmen, so daß diese mehr für sich selbst sorgen können. Jeder von uns sollte sich daran erinnern, daß Amerika nicht von der Regierung, sondern vom Volke geschaffen wurde – nicht durch Wohlfahrt, sondern durch Arbeit – nicht durch Zurückschrecken vor der Verantwortung, sondern durch Übernahme von Verantwortung. In unserem eigenen Leben sollte sich jeder von uns fragen: Was kann ich selbst für mich tun, und nicht, was wird die Regierung für mich tun. Bei den Aufgaben, vor denen wir gemeinsam stehen, sollte jeder von uns fragen: Wie kann ich helfen, und nicht, wie kann die Regierung helfen. Unsere Bundesregierung hat eine große und entscheidend wichtige Rolle zu spielen. Ich versichere Ihnen, daß diese Regierung, wo sie handeln sollte, mutig handeln und führen wird. Aber genauso wichtig ist die Rolle, die jeder einzelne von uns spielen muß, als Einzelperson und als Mitglied seiner eigenen Gemeinde. Von dem

heutigen Tage an sollte sich jeder von uns zutiefst in seinem Herzen verpflichten, seiner Verantwortung nachzukommen, seinen Beitrag zu leisten, seine Ideale zu verwirklichen, so daß wir gemeinsam ein neues Zeitalter des Fortschritts für Amerika anbrechen sehen und gemeinsam – da wir jetzt den 200. Gründungstag unserer Nation begehen werden – stolz sein können auf die Erfüllung des Versprechens, das wir uns und der Welt gegeben haben.
Wo jetzt der längste und schwierigste Krieg Amerikas seinem Ende entgegengeht, müssen wir erneut lernen, über unsere Meinungsverschiedenheiten mit Würde und Anstand zu debattieren. Und jeder von uns sollte sich um jenes kostbare Gut bemühen, das die Regierung einem nicht geben kann, nämlich um ein neues Maß an Respekt vor den Rechten und Gefühlen des anderen und um ein neues Maß an Respekt vor der Menschenwürde, die das kostbare angeborene Recht eines jeden Amerikaners ist. Und vor allem anderen ist jetzt die Zeit für alle Amerikaner gekommen, den Glauben an uns selbst und an Amerika zu erneuern. In den letzten Jahren ist dieser Glaube in Frage gestellt worden. Unseren Kindern ist gesagt worden, sie müßten sich ihres Landes, ihrer Eltern, der Taten Amerikas hier im eigenen Lande und seiner Rolle in der Welt schämen. Bei jeder Krise sind wir von denjenigen bedrängt worden, die an Amerika alles falsch und nur wenig richtig finden. Aber ich bin zuversichtlich, daß dies nicht das Urteil der Geschichte über diese bemerkenswerten Zeiten sein wird, in denen wir leben dürfen [...] *Wir können stolz darauf sein*, daß wir in jedem der 4 Kriege, in denen wir in diesem Jahrhundert gekämpft haben – das gilt auch für denjenigen, den wir jetzt beenden – nicht für eigennützige Vorteile gefochten haben, sondern um anderen zu helfen, einer Aggression zu widerstehen. Wir können stolz darauf sein, daß wir mit unseren kühnen, neuen Initiativen und mit unserem unerschütterlichen Eintreten für einen ehrenhaften Frieden einen Durchbruch erzielt haben, um in der Welt etwas zu schaffen, was die Welt zuvor noch nie gehabt hat – ein Gebäude des Frie-

dens nicht nur für unsere Zeit, sondern für künftige Generationen. Wir treten heute hier in eine Ära ein, die uns vor so gewaltige Aufgaben stellt, wie sie kein Land und keine Generation je zuvor zu bewältigen hatte. Wir werden Gott, der Geschichte und unserem Gewissen gegenüber dafür verantwortlich sein, wie wir diese Jahre nutzen werden. Wenn ich jetzt hier an dieser so ehrwürdigen Stätte der Geschichte stehe, dann denke ich an die anderen, die vor mir hier gestanden haben. Ich denke an das, was sie sich für Amerika erträumt hatten, und ich denke daran, wie jeder von ihnen sich darüber im klaren war, daß er Hilfe benötigte, die weit über seine eigene Kraft hinausging, um diese Träume Wirklichkeit werden zu lassen. Heute bitte ich Sie, dafür zu beten, daß ich in den kommenden Jahren Gottes Hilfe haben möge, um die Entscheidungen zu treffen, die für Amerika richtig sind, und ich bitte Sie um Ihre Unterstützung, damit wir gemeinsam unserer großen Aufgabe gerecht werden können.

III. Arbeitsvorschläge

Die folgenden Hinweise können den umfangreichen Komplex der Analyse politischen Sprechens nur anreißen. Für alle über diese Hinweise hinausgehenden Fragen sei daher auf die im Literaturverzeichnis am Schluß des Bandes zusammengestellten Arbeiten verwiesen.
Analyse von politischen Reden heißt, intentionale Texte untersuchen, Texte, die mitunter lange vor dem Zeitpunkt der Analyse mit einer bestimmten Absicht zu einem bestimmten Publikum gesprochen worden sind. Zwischen ihrer Entstehung und Rezeption und der analytischen Reflexion über sie ist eine gewisse Zeit verflossen, es besteht somit für den Reflektierenden ein zeitlicher und qualitativer Unterschied zum unmittelbar Rezipierenden. Das ist zwar bei poetischen Texten ähnlich, doch sind diese kaum so stark in ihren Rezeptionsbedingungen (Publikum, Ort, Zeit, politische Gesamtsituation) fixiert. Das bedeutet, daß sich der Interpret politischer Reden der Situation, in der die entsprechende Rede gehalten worden ist, sowie dem Erwartungshorizont der ursprünglichen Hörer stärker anzunähern versuchen muß als bei irgendeinem anderen Text.
Dieser verstehenden Annäherung, die immer nur teilweise möglich ist, muß jedoch die kritische Distanzierung folgen. Sie setzt z. B. dann ein, wenn es um die ideologiekritische Untersuchung der jeweiligen Rede geht.
Grundsätzliche Fragen solcher Art lassen sich besonders gut an Goebbels' Rede über den totalen Krieg (Text 6) erörtern.

1. Übersicht über analytische Möglichkeiten

Für die Analyse politischer Reden eignet sich ein Kriterienkatalog, den Hellmut Geissner in seinem Beitrag *Rhetorische Analytik* (s. Literaturverzeichnis) aufgestellt hat, der freilich noch erweitert werden muß im Hinblick auf die oben genannte Auseinandersetzung mit der Redesituation und mit der gesellschaftlich-politischen Situation, aus der heraus eben diese Redesituation erwachsen ist. Der Anlage dieses Katalogs, der zur Übersicht über mögliche Untersuchungsansätze im folgenden wiedergegeben wird, liegt die Überlegung zugrunde, daß der Text einer politischen Rede eine Reihe sprachlicher Zeichen darstellt, die in der kommunikativen Absicht (ohne Rückkopplung) hergestellt wird, überredend oder überzeugend eine Verhaltensbestätigung oder Verhaltensänderung beim Zuhörer zu erreichen. Untersucht man nun diese Zeichenreihe, so muß das jeweilige sprachliche Zeichen (Wort, Satz) in seinen verschiedenen Beziehungen (semiotischen Parametern) gesehen werden:

Zeichengeber/
Zeichenempfänger

Pragmatik: Untersucht die Beziehung zwischen Zeichen, Zeichengeber und Zeichenempfänger

Zeichen ——— Zeichen

Syntaktik: Untersucht die Beziehung zwischen Zeichen oder Zeichengruppen

Semantik: Untersucht die Beziehung zwischen Zeichen und gedanklicher Entsprechung bei den Zeichenverwendern

Bedeutung

Geissner führt ergänzend dazu aus: »Die akustische Quelle dokumentiert am ›Großzeichen‹ Rede dreierlei: Sprachliches, Sprecherisches und Rhetorisches. Die rhetorische Analytik muß folglich in jedem der drei semiotischen Parameter jeweils Sprachliches, Sprecherisches und Rhetorisches teils quantifizieren, teils qualifizieren und ihre Korrelationen bestimmen als Konstituierendes des Großzeichens Rede« (Geissner, Rhetorische Analytik, S. 361).

Geissners Katalog:

1. *syntaktisch*
1.1 sprachlich
1.1.1 Wortanzahl
Silbigkeit/Wort
m Silbenzahl
Silben-Entropie
1.1.2 Wortmaterial:
Fachsprachen
Fremdwörter
Wortbildungen
1.1.3 Sprachstufen:
Hochsprache
Umgangssprachen
Mundart(en)
1.1.4 Satzanzahl
Wörter je Satz
m Satzlänge
1.1.5 Satzarten
Setzungen
Einfachsatz
Satzgefüge

2. *semantisch*
2.1. sprachlich
2.1.1 begriffl. Inventar
Terminologie
2.1.2 Worthäufigkeit:
Verhältnis innerhalb der Rede zur allgemeinen
2.1.3 funktionaler Aspekt
bevorzugte Wortbildungen
Stellenwert der Wörter
Schlüsselwörter
Anredepronomen usf.
2.1.4 Stil:
Denkfunktion
verbal–nominal
parataktisch
hypotaktisch
2.1.5 Satzarten in ihrem Aussagewert:
Urteil, Frage, Wunsch, Behauptung

3. *pragmatisch*
3.1 sprachlich
3.1.1 Verständlichkeit der Wörter und Sätze
(vgl. 3.3.2)
3.1.2 Wortwirksamkeit
Eindrucksstelle
Ausdrucksstelle
Wiederholung
3.1.3 Satzwirksamkeit
Wiederholung
Verkürzung
(vgl. 2.1.4)
3.1.4 Satzarten:
Funktion z. B. dialogisch, befehlend, fragend, werbend usw.
3.1.5 Satzarten in ihrer Intention, z. B. rationalisierend, emotionalisierend

1.2 sprecherisch	2.2 sprecherisch	3.2 sprecherisch
1.2.1 Lautung: Sprechstufen (hochgelautet, umgangssprachlich, mundartlich) Deutlichkeit	2.2.1 sinnkonstituierende Funktionen der 1.2-Elemente, z. B. Pausierung, Kadenzierung Tonhöhenbewegung	3.2.1 Lautung: situative Varianten der Sprechstufen (Hörerschaft)
1.2.2 konstitutionelle Ausdrucksqualitäten: Stimmlage, -klang, -fülle, -fehler Lautungsfehler	2.2.2 Bedeutungsfunktion von 1.2.2, vor allem Tonerhöhung, Klangfarben, z. B. Ironie, Brutalität, Güte; Divergenz/Konvergenz von 2.1 und 2.2	3.2.2 Hörbarkeit (Raumart, -größe, -akustik)
1.2.3 Verlaufsqualitäten: Tempo, -wechsel Pausierung Akzentuierung Tonhöhenbewegung	2.2.3 Intensitätsgrade Außenspannung Innenspannung Intentionalität (Sache, Selbst, Hörer)	3.2.3 situative und rollenspezifische Varianten von 1.2.2 und 1.2.3
		3.2.4 Aktualisieren der 2.1 und 2.2 Stimmungen
		3.2.5 Hörer-Reaktionen: verbale, nicht-verbale
		3.2.6 Reaktionen auf die Hörer-Reaktionen
1.3 rhetorisch	2.3 rhetorisch	3.3 rhetorisch
1.3.1 Redeaufbau Gliederung	2.3.1 Redeaufbau: Funktion der Glieder	3.3.1 Redeaufbau: Wirkung
1.3.2 Umfang der Glieder	2.3.2 Funktion der rhetorischen Figuren	3.3.2 Wirksamkeit der Argumentationsfolge
1.3.3 Rhetorische Figuren		3.3.3 Hörerbezug

1.3.4 Argumente (Zahl)
1.3.5 Gesamtumfang (-dauer)

2.3.3 Argumentationsfolge
2.3.4 Redehaltung: monologisch, dialogisch (fiktiv, virtuell, aktuell)
2.3.5 Redeart (-ziel)

3.3.4 Redesituation: Ort, Zeit, Hörerschaft
3.3.5 Rededauer: Wirkung (hörbare Handlungsimpulse der Hörerschaft usw.)

(Geissner, Rhetorische Analytik, S. 362)

Diese Untersuchungsansätze sind mit Ausnahme des sprecherischen Bereichs, der bei den vorliegenden Texten naturgemäß weitgehend ausfällt, auf fast alle Reden anwendbar. Zu Einzelheiten s. S. 138 ff.
Geissner selbst hat mit diesen Ansätzen gearbeitet. (Vgl. dazu: Geissner, Hellmut: Rede in der Öffentlichkeit. Stuttgart 1969.)

2. Ergänzungen und Hinweise

Nach dieser systematischen Aufgliederung der analytischen Möglichkeiten werden einige für die vorliegende Textauswahl besonders geeignete Ansätze aus dem Geissnerschen Katalog erweitert und deutlicher in ihren Bezügen zueinander dargestellt. (Die Zitate beziehen sich auf die im Literaturverzeichnis am Schluß des Bandes aufgeführten Titel.)
Zunächst als Rahmen in Anlehnung an Dieckmann (Sprache in der Politik, S. 81–101) eine knappe schematische Übersicht über die Funktionen politischer Sprache:

Politische Sprache

Funktionssprache	Meinungssprache
= Organisations- und Institutionssprache	= Propaganda- oder Ideologiesprache
Beschreibung der politischen (institutionellen) Wirklichkeit	ideologische Deutung der politischen Wirklichkeit = Modell
dient der organisatorischen Verständigung innerhalb des staatlichen Apparates, Sachbezogenheit und Rationalität	dient der Meinungs- und Verhaltenssteuerung, kann Sachbezogenheit und Rationalität besitzen, täuscht sie aber meist vor bzw. klammert sie zugunsten von Emotionalität aus
ähnlich in verschiedenen politischen Systemen	verschieden, entsprechend der Ideologie des jeweiligen Systems, jedoch oft nur in der Akzentsetzung, ähnliche Grundelemente

Als Exponenten der Funktionssprache kann man den Fachterminus, als den der Meinungssprache das Schlagwort bezeichnen, wobei freilich anzumerken ist, daß es sich hier ebenfalls um eine modellhafte Trennung handelt. Allein ein Schlagwort wie ›soziale Marktwirtschaft‹ zeigt die Vermischung von Funktions- und Meinungssprache. Termini aus der Funktionssprache können, da sie für den Nichtspezialisten oft nur vage Bedeutung haben, als geeignete Schlagwörter in die Meinungssprache übergehen und in einem ent-

sprechenden Kontext Sachbezogenheit vorspiegeln und verschiedenste Assoziationen auslösen (vgl. dazu unten).
In den folgenden Hinweisen wird noch deutlicher werden, wie Ideologie die sprachlichen Mittel der politischen Rede bestimmt, wie Meinungssprache strukturiert ist. Zugleich wird aber auch sichtbar, daß das Verbindende zwischen den Ideologien und mithin auch zwischen den dazugehörenden sprachlichen Mitteln das Bestreben ist, Herrschaft so unangefochten wie möglich auszuüben und zu erweitern. Hier liegen dann die eigentlichen Vergleichsmöglichkeiten bei der Analyse (s. dazu das Vorwort).

2.1.
Wortgebrauch

Untersuchungen des Wortgebrauchs lassen sich unter verschiedenen Aspekten vornehmen (vgl. dazu auch Geissners Katalog):

2.1.1.
Das Schlüsselwort

Dem Schlüsselwort kommt bei Wortuntersuchungen im Bereich der Meinungssprache besondere Bedeutung zu. Schlüsselwörter sind Begriffe, »die Gruppen, Staaten, politische Richtungen, Ideale und Probleme bezeichnen«, »ihre Häufigkeit sagt etwas über die Vorlieben des Autors, ihre negativen und positiven Attribute sagen etwas über seine Wertungen« (Zimmermann, Die politische Rede, S. 28).
Dieser Untersuchungsansatz ist auf alle Texte des vorliegenden Bandes anwendbar (vgl. dazu auch den Abschnitt Rhetorische Figuren 2.2).

2.1.2.
Das Zeigewort

In den Bereich der Schlüsselwörter gehören – zumindest zu einem Teil – auch die sogenannten Zeigewörter. Zeigewörter können auf den Sprecher (ich, wir) verweisen, auf die Sprechzeit (jetzt, nachher, heute, gestern, morgen), auf den Sprechort (hier, dort), auf den Angesprochenen (du, ihr =

Solidaritäts- oder Intimebene) oder auf die Rolle des Angesprochenen (Sie = Autoritätsebene). Gerade in den letzten beiden Gruppen von Zeigewörtern wird die soziale Dimension der Sprache sichtbar, die Rollenbeziehung zwischen Sprecher und Hörer.
Die Zeigewörter geben also ein Bezugssystem für die Sprechsituation und den Text. Daß sich Rollenbeziehungen in der Zeigewortstruktur spiegeln, macht ihre Untersuchung für die vorliegenden Texte besonders interessant, da hier die Rollenverteilung ausschließlich vom Sprecher ausgeht.

2.1.3.
Das Schlagwort

Untersucht man das Schlüsselwort auf seine beabsichtigte Wirkung beim Hörer, so kommt man zum Begriff des Schlagworts: Schlagwörter sind Schlüsselwörter, sie werden verwendet, um Reaktionen hervorzurufen, »die durch einen langen Einübungsprozeß trainiert worden sind« (Zimmermann, Elemente zeitgenössischer Rhetorik, S. 162). Vom Gesichtspunkt der Wirkung her gesehen definiert Dieckmann: »Ein Wort *ist* nicht Schlagwort, sondern wird als Schlagwort gebraucht« (Sprache in der Politik, S. 102; s. dort ausführlich über das Schlagwort).
Das Schlagwort hat:

- vagen Wortinhalt und ist für verschiedene Bedeutungen zugänglich (Assoziationsmöglichkeiten)
- durch häufigen Gebrauch suggestive Sloganwirkung
- negativen oder positiven Reizwert

(nach Zimmermann, Elemente zeitgenössischer Rhetorik, S. 162).

Der Gebrauch von Schlagwörtern kann auf folgende Wirkungen zielen: eigene Gruppe aufwerten, Bildung von Gemeinschaftsgefühl, Abwertung der gegnerischen Gruppe, Beschwichtigung (Tabuisierung, Verschleierung, Vereinfachung komplexer Sachverhalte).
Die enge Beziehung zur Wirkung rhetorischer Figuren (s. 2.2) ist deutlich.

Da Schlagwortuntersuchungen eine besondere Vertrautheit mit der Redesituation und dem historisch-politischen Hintergrund voraussetzen, sind die älteren Texte davon weitgehend ausgeschlossen. Es eignen sich Text 4–12, wobei die Unterschiede in der Schlagworthäufigkeit interessant sind.

2.2.
Rhetorische Figuren

Ein weiteres höchst wirkungsvolles Instrumentarium aus dem Bereich der Meinungssprache bilden seit jeher die rhetorischen Figuren.

Rhetorische Figuren sind festgeprägte Ausdrucksschemata für bestimmte Denk- und Kommunikationsvorgänge (s. dazu ausführlich: Lausberg, Elemente der literarischen Rhetorik).

Zimmermann hat einen Katalog der für die politische Rede typischsten rhetorischen Figuren zusammengestellt, dabei hat er die aus der antiken Rhetorik stammenden Termini nicht übernommen, sondern umschrieben.

Diese rhetorischen Figuren sind weitgehend systemunabhängig, sie bilden sozusagen einen Extrakt aus vielen Jahrhunderten Umgang von Herrschenden mit Beherrschten.

Zusammenstellung der wichtigsten rhetorischen Figuren:

Aufwertung:

Günstige Seite hervorheben, ungünstige abschwächen oder verschweigen;
positive Attribute für Wir-Gruppe;
dynamisches Wortfeld für Wir-Gruppe;
Koppelung mit positiven Werten (Freiheit, Gerechtigkeit, Demokratie etc.);
aufgrund von zwei/drei konkreten Beispielen positive Verallgemeinerung;
eigennützige Ziele als uneigennützig ausgeben (»Gemeinwohl«);
Übersteigerung eigener Verdienste: einziger Garant für Sicherheit und Freiheit;

Fehler anderen zuschieben: anderer Gruppe oder den Umständen (»unabwendbares Schicksal«);
Einladung der Zuhörer zur Identifikation mit Wir-Gruppe;
wer anderer Meinung ist, dem gegnerischen Lager zuschlagen;
unverfängliche Zeugen aufrufen.

Abwertung:
Ungünstige Seite hervorheben, günstige abschwächen oder verschweigen;
Häufung negativer Attribute;
Koppelung des Gegners mit negativen Werten (Unfreiheit, Unrecht, Tyrannei);
aufgrund von zwei/drei konkreten Beispielen negative Verallgemeinerung;
uneigennützige Ziele des Gegners als eigennützig ausgeben;
Fehler des Gegners ins Maßlose vergrößern: »Untergang des Abendlandes«;
Fehler dritter Gruppen dem Gegner zuschieben; Erfolge dem Gegner absprechen;
Deformation gegnerischer Argumente: ins Absurde übersteigern;
Verzerrung gegnerischer Zitate, um sie leichter widerlegen zu können;
Gegner verrät eigene Grundsätze; Gegner ist von Geschichte längst widerlegt;
gegnerische Forderungen halb anerkennen, doch: sie wurden längst von Wir-Gruppe erfüllt bzw. vor dem Gegner von Wir-Gruppe aufgestellt;
Diffamierung durch Assoziation;
Neudefinition gegnerischer Schlagworte;
Parzellierung des Gegners: Teil auf eigene Seite ziehen;
innenpolitischen Gegner mit außenpolitischem Feind koppeln;
unverfängliche Zeugen aufrufen.

Beschwichtigung:
Verständnis bekunden;
auf Gemeinschaft hinweisen: »wir sind alle eine Familie«;
als Vertreter einer Gruppe sich zum Sprecher einer anderen machen: Vermittlerrolle; alle Interessen als berechtigt anerkennen, Widersprüche verschweigen: sowohl – als – auch, weder – noch; für jeden etwas;
auf »unabwendbares Schicksal« hinweisen;
allgemeine Weisheiten: Irren ist menschlich;
Formulierungen, die für jede Interpretation offen sind;
wenn eine Interessengruppe belastet wird: »alle müssen Lasten tragen«, »Dienst am Allgemeinwohl«;
Tabuisierung von Problemen, so daß deren Erörterung unmöglich wird.

(Zimmermann, Die politische Rede, S. 160 f.)

Die Verwendung rhetorischer Figuren und ihre Funktion läßt sich an allen vorliegenden Texten untersuchen.

2.3.
Redesituation und Rollenverteilung

Eines der wesentlichsten Vergleichsmomente (vgl. Vorbemerkung) für Reden aus verschiedenen historischen Epochen ist die im jeweiligen Text vorgenommene Rollenverteilung innerhalb der Redesituation für Redner und Hörer.
Die Funktion der rhetorischen Figuren wie auch die der Schlüssel- und Zeigewörter haben auf diese Rollenverteilung schon aufmerksam werden lassen.
Folgende Fragestellungen können den Komplex der Redesituation im Hinblick auf die Rollenverteilung und in Zusammenhang mit dem Wortgebrauch und der Verwendung rhetorischer Figuren weiter transparent machen:

Welche Rolle nimmt der Redner in der allgemeinen Erwartung seiner Zuhörer ein?

Welche Rolle teilt sich der Redner durch die sprachlichen Mittel seiner Rede zu?

Welche Rolle wird dem Hörer vom Sprecher durch die sprachlichen Mittel seiner Rede zugeteilt?
Wie werden vom Redner andere Personen benannt oder bewertet?
Wie werden Gegenstände und/oder Zustände vom Redner benannt?

Im Zusammenhang mit der durch Meinungssprache stattfindenden ideologischen Deutung der politischen Wirklichkeit ist die Untersuchung der Rollenverteilung von Bedeutung für die ideologiekritische Beurteilung von politischen Reden. In der Rollenstruktur spiegelt sich das Verhältnis Wirklichkeit – Ideologie deutlich wider.

IV. Verfasser- und Quellenverzeichnis

Otto von Bismarck (1815–98)
Otto von Bismarck vor dem Reichstag zum Sozialistengesetz (17. September 1878) 23
Aus: Die Reden des Ministerpräsidenten und Reichskanzlers Fürsten von Bismarck. Histor.-krit. Gesammtausgabe, besorgt von Horst Kohl. Bd. 7 (1877 bis 1879). Stuttgart: Cotta 1893. S. 267–269. (Orthographie modernisiert.)

Willy Brandt (geb. 1913)
Willy Brandt an die Bürger der Bundesrepublik anläßlich der Unterzeichnung des deutsch-polnischen Vertrages (7. Dezember 1970) 120
Aus: Bundeskanzler Brandt. Reden und Interviews. Hrsg. vom Presse- und Informationsamt der Bundesregierung. Bonn 1971. S. 280 f.

Bundestagsreden anläßlich des Baus der Berliner Mauer (18. August 1961) 77
Aus: Verhandlungen des deutschen Bundestages. 3. Wahlperiode. Stenographische Berichte, Bd. 49. Bonn 1961. S. 9769–89. (167. Sitzung vom 18. August 1961.)

Winston Churchill (1874–1965)
Winston Churchill an die englische Bevölkerung zum Beginn des Luftkrieges über England (14. Juli 1940) . 28
Aus: Winston Churchill, Reden. Bd. I (1938–1940). Zürich: Europa-Verlag 1946. S. 378–385.

Friedrich der Große (1712–86)
Friedrich der Große zu seinen Offizieren vor der Schlacht bei Leuthen (3. Dezember 1757) 20
Aus: Die Werke Friedrich des Großen in deutscher

V. Literaturverzeichnis

1. Untersuchungen zur rhetorischen Analytik und zur politischen Rede

Ammon, Ulrich: Zur sozialen Funktion der pronominalen Anrede im Deutschen. In: Zeitschrift für Literaturwissenschaft und Linguistik 2 (1972) S. 73 bis 88.

Bachem, Rolf: Einführung in die Analyse politischer Texte. München 1979.

Bergsdorf, Wolfgang: Politik und Sprache. München u. Wien 1978.

Bergsdorf, Wolfgang (Hrsg.): Wörter als Waffen. Sprache als Mittel der Politik. Stuttgart 1979.

Bergsdorf, Wolfgang: Herrschaft und Sprache. Studien zur Terminologie der Politik. Pfullingen 1983.

Berning, Cornelia: Vom ›Abstammungsnachweis‹ zum ›Zuchtwart‹. Vokabular des Nationalsozialismus. Berlin 1964. (Die kleinen de Gruyter Bände 6.)

Bock, Johannes: Zur Inhalts- und Funktionsanalyse der Politikerrede. Ein Beitrag zur Verbesserung der Kommunikation zwischen Staatsbürger und Politiker. Frankfurt a. M. 1982.

Burke, Kenneth: Die Rhetorik in Hitlers ›Mein Kampf‹ und andere Essays zur Strategie der Überredung. Frankfurt a. M. 1967. (edition suhrkamp 231.)

Dieckmann, Walther: Information oder Überredung. Marburg 1964. (Marburger Beiträge zur Germanistik 8.)

Dieckmann, Walther: Sprache in der Politik. Einführung in die Pragmatik und Semantik der politischen Sprache. Heidelberg 1969.

Dieckmann, Walther: Politische Sprache, politische Kommunikation. Heidelberg 1981. (Sprachwissenschaftliche Studienbücher 2.)

Dieckmann, Walther: Das Reden der Politiker und das Problem der Glaubwürdigkeit. In: Jahrbuch des Instituts für deutsche Sprache (1984) S. 223 bis 229.

Dockhorn, Klaus: Macht und Wirkung der Rhetorik. Vier Aufsätze zur Ideengeschichte der Vormoderne. Bad Homburg 1968.

Frese, Jürgen: Politisches Sprechen. Thesen über einige Rahmenbedingungen. In: Sprache und Gesellschaft. Hrsg. von A. Rucktäschel. München 1972. S. 102–114.

Gaier, Ulrich: Bemerkungen zum Verhältnis von Sprache und Politik. In: Sprache und Politik. Vorträge und Materialien einer Arbeitstagung der Bundeszentrale für politische Bildung vom 8.–13. März 1971 in Bremen. Bonn 1971. (Schriftenreihe der Bundeszentrale für politische Bildung 91.)

Gaier, Ulrich: Sprache in politischer Rede. In: Aus Politik und Zeitgeschichte 1971, Nr. 9, S. 21–32.

Gaier, Ulrich: Fragen an eine politische Rede. In: Der Deutschunterricht 24 (1972) H. 5, S. 64–93.

Geissner, Hellmut: Rede in der Öffentlichkeit. Eine Einführung in die Rhetorik. Stuttgart 1969.

Geissner, Hellmut: Rhetorische Analytik. In: Proceedings of the Sixth International Congress of Phonetic Sciences, Prag 1967. Prag 1970. S. 361 bis 363.
Greiffenhagen, Martin (Hrsg.): Kampf um Wörter. Begriffe im Meinungsstreit. München u. Wien 1980.
Heringer, Hans-Jürgen (Hrsg.): Holzfeuer im hölzernen Ofen. Aufsätze zur politischen Sprachkritik. Tübingen 1982.
Jens, Walter: Von deutscher Rede. München 1972. (dtv 806.)
Karsch, Friedrun: Die Sprache der politischen Propaganda. Ein Versuch zur Analyse ihrer Charakteristika. In: Geschichte in Wissenschaft und Unterricht 19 (1968) S. 218–229.
Kinne, Michael (Hrsg.): Nationalsozialismus und deutsche Sprache. Arbeitsmaterialien zum deutschen Sprachgebrauch während der nationalsozialistischen Herrschaft. Frankfurt a. M. 1981.
Klaus, Georg: Die Macht des Wortes. Berlin [Ost] [6]1972.
Klaus, Georg: Sprache und Politik. Berlin [Ost] 1971.
Kopperschmidt, Josef: Rhetorik. Einführung in die Theorie der persuasiven Kommunikation. Stuttgart 1973. (Sprache und Literatur 79.)
Kuhlmann, Walter: Von den Arten der Rede und des Gesprächs. Rhetorische Analyse. Freiburg i. Br. 1966. (Beiträge zur Sprechkunde 3.)
Ladendorf, Otto: Historisches Schlagwörterbuch. Nachdruck der Ausgabe Straßburg 1906. Mit einer Einleitung von H. G. Schumann. Hildesheim 1968.
Lausberg, Heinrich: Elemente der literarischen Rhetorik. 2., wesentlich erweiterte Auflage. München 1963.
Lemmermann, Heinz: Lehrbuch der Rhetorik. Die Kunst der Rede und des Gesprächs. München o. J. (Goldmanns Gelbe Taschenbücher 1443.)
Magaß, Walter: Das öffentliche Schweigen. Gibt es Maßstäbe für die Kunst der öffentlichen Rede in Deutschland? Heidelberg 1967.
Maletzke, Gerhard: Grundbegriffe der Massenkommunikation. München 1964.
Pelster, Theodor: Die politische Rede im Westen und Osten Deutschlands. Düsseldorf 1966. (Beihefte zur Zeitschrift »Wirkendes Wort« 14.)
Reich, Hans H.: Sprache und Politik. Untersuchungen zu Wortschatz und Wortwahl des offiziellen Sprachgebrauchs in der DDR. München 1968. (Münchner Germanistische Beiträge 1.)
Sandig, Barbara: Beispiele pragmatischer Textanalyse. In: Der Deutschunterricht 25 (1973) H. 1, S. 5–23.
Schmidt, Siegfried J.: Sprache und Politik. Zum Postulat rationalen politischen Handelns. In: Sprache und Gesellschaft. Hrsg. von A. Rucktäschel. München 1972. S. 81–101.
Schnauber, Cornelius: Wie Hitler sprach und schrieb. Zur Psychologie der faschistischen Rhetorik. Frankfurt a. M. 1972.
Sprache und Politik. Vorträge und Materialien einer Arbeitstagung der Bundeszentrale für politische Bildung vom 8.–13. März 1971 in Bremen. Bonn 1971. (Schriftenreihe der Bundeszentrale für politische Bildung 91.)
Weinrich, Harald: Linguistik der Lüge. Heidelberg 1966.

Winckler, Lutz: Studie zur gesellschaftlichen Funktion faschistischer Sprache. Frankfurt a. M. 1970. (edition suhrkamp 417.)

Zimmermann, Hans Dieter: Die politische Rede. Der Sprachgebrauch Bonner Politiker. Stuttgart 1969. (Sprache und Literatur 59.)

2. *Didaktische Literatur zum Problemkreis ›Politische Rede‹*

Bauer, Winfried: Politische Reden auf der Sekundarstufe II. Ein Unterrichtsmodell für Klasse 11. In: Der Deutschunterricht 30 (1978) H. 1, S. 87 bis 109.

Drommel, Raimund H. u. Gerhart Wolff: Metaphern in politischer Rede. In: Der Deutschunterricht 30 (1978) H. 1, S. 71–86.

Eigenwald, Rolf: Überredungstechniken. Zum Sprachgebrauch in politischen, journalistischen und ökonomischen Texten. In: Projekt Deutschunterricht 2. Sozialisation und Manipulation durch Sprache. Analysen nichtliterarischer Texte. Hrsg. von H. Ide. Stuttgart 1972. S. 101–126.

Eigenwald, Rolf: Harmonie der Harmlosen? Analysen von Festredentexten. In: Projekt Deutschunterricht 3. Soziale Fronten in der Sprache. Hrsg. von H. Ide. Stuttgart 1972. S. 1–27.

Geissner, Hellmut: Der Fünfsatz. Ein Kapitel Redetheorie und Redepädagogik. In: Wirkendes Wort 18 (1968) S. 258–279.

Girschner-Woldt, Ingrid: Gesellschaft und Macht. In: Projekt Deutschunterricht 3 (s. Eigenwald), S. 101–133.

Gniffke-Hubrig, Christa: Textsorten. Erarbeitung einer Typologie von Gebrauchstexten in der 11. Klasse des Gymnasiums. In: Der Deutschunterricht 24 (1972) H. 1, S. 39–52.

Günther, Rolf: Die politische Rede: Sprache als Herrschaftsinstrument. Unterrichtsmodell für das 12./13. Schuljahr. In: Reflexion über Sprache im Deutschunterricht. Hrsg. von H. Thiel. Frankfurt a. M. 1972. S. 143–163.

Hoppenkamp, Hermann: Analyse politischer Reden. Unterrichtsmodell zur Gestik und Mimik rhetorischer Kommunikation für die Sekundarstufe. In: Wirkendes Wort 31 (1981) S. 268–279.

Lecke, Bodo: Sprache der Polemik. Zur Analyse rhetorischer Stilmittel in einem Oberstufenkurs. In: Projekt Deutschunterricht 3 (s. Eigenwald), S. 49–83.

Pelster, Theodor: Rede und Rhetorik im Sprachunterricht. In: Wirkendes Wort 21 (1971) S. 373–389.

Pelster, Theodor: Politische Rede im Unterricht. Modell für eine Unterrichtsreihe auf der gymnasialen Oberstufe. In: Der Deutschunterricht 24 (1972) H. 2, S. 46–76.

Rauch, Sabine: Herrschaftstendenzen in der politischen Rede. Aggressivität als Sprachmerkmal. In: Projekt Deutschunterricht 2 (s. Eigenwald), S. 81–100.

Varwig, Freyr Rolf: Einführung in Rhetorik und Argumentation im Deutschunterricht der Sekundarstufe I. In: Muttersprache 87 (1977) S. 159–177.

Wolff, Gerhart: Zum Thema: Sprachmanipulation. In: Der Deutschunterricht 26 (1974) H. 2, S. 45–67.

Ziesenis, Werner: Politische Rede im Deutschunterricht. In: Taschenbuch des Deutschunterrichts. Hrsg. von E. Wolfrum. Bd. 2. [3]1980. S. 905–924.
Zimmermann, Hans Dieter: Elemente zeitgenössischer Rhetorik. In: Diskussion Deutsch. H. 4 (1971) S. 157–168.

3. Tondokumente

Deutschland im 2. Weltkrieg. Originalaufnahmen aus den Jahren 1939 bis 1945. Ausgewählt und kommentiert von Horst Siebecke. 2 Platten. Athena-Produktion der Ariola.
Das dritte Reich in Dokumenten. Eine Hörfolge zur Zeitgeschichte. Zusammengestellt und kommentiert von Heinz Garber u. Hans-Günter Zmarzlik. 3 Platten. Christophorus Verlag Herder. Freiburg i. Br.
Goebbels spricht: »Wollt ihr den totalen Krieg.« Verlag für geschichtliche Dokumentation. Hamburg.
Simmat, William E. (Hrsg.): Adolf Hitler. Ein Porträt in Tondokumenten. Ariola.
Voices from across the Channel. Sir Winston Churchill on the Second World War. Tonband (Tb 78) des Instituts für Film und Bild München.

Arbeitstexte für den Unterricht

Politik, Geschichte, Gesellschaft

Argumente und Parolen. Politische Propaganda im 20. Jahrhundert. 112 S. UB 9518
Behinderte. 181 S. UB 9577
Deutsche Kriegsliteratur zu zwei Weltkriegen. 192 S. UB 9581
Die Frau in der Gesellschaft. 160 S. UB 9536
Frieden – Friedensstrategien. 63 S. UB 9523
»Friedensgesinnungen«. Deutsche Literatur gegen den Krieg. 151 S. UB 15029
Geschichte in Karikaturen. Von 1848 bis zur Gegenwart. 220 S. UB 9566
Geschichtliche Quellen. Eine Einführung mit Arbeitsbeispielen. 164 S. UB 9553
Herrschaft durch Sprache. Politische Reden. 150 S. UB 9501
Die Juden. Vorurteil und Verfolgung im Spiegel literarischer Texte. 155 S. UB 9596
Lehrzeit. Erzählungen aus der Berufswelt. 160 S. UB 9558
Menschen im Dritten Reich. Leben unter der Diktatur. 84 S. UB 9583
Politische Lyrik. Deutsche Zeitgedichte des 19. und 20. Jahrhunderts. 88 S. UB 9502
Presse und Pressewesen. 165 S. UB 9545
Toleranz. Texte zur Theorie und politische Praxis. 192 S. UB 15003
Tourismus. 179 S. UB 9564
Utopie. 174 S. UB 9591
Verantwortung. 175 S. UB 15022
Vorurteile gegen Minderheiten. Die Anfänge des modernen Antisemitismus am Beispiel Deutschlands. 174 S. UB 9543

Philipp Reclam jun. Stuttgart